GRAU DO COMPANHEIRO E SEUS MISTÉRIOS
2º Grau

Jorge Adoum
(Mago Jefa)

GRAU DO COMPANHEIRO
E SEUS MISTÉRIOS
2º G*RAU*

BIBLIOTECA MAÇÔNICA PENSAMENTO

Editora
Pensamento
SÃO PAULO

Todos os direitos reservados. Nenhuma parte deste livro pode ser reproduzida ou usada de qualquer forma ou por qualquer meio, eletrônico ou mecânico, inclusive fotocópias, gravações ou sistema de armazenamento em banco de dados, sem permissão por escrito, exceto nos casos de trechos curtos citados em resenhas críticas ou artigos de revistas.

Publicado anteriormente na coleção "Esta é a Maçonaria".

1ª edição 2010 - Coleção Biblioteca Maçônica Pensamento.

5ª reimpressão 2019.

Capa: Rosana Martinelli

Projeto gráfico e diagramação: Verba Editorial

Revisão de texto: Juliane Kaori e Gabriela Morandini

Dados Internacionais de Catalogação na Publicação (CIP)
(Câmara Brasileira do Livro, SP, Brasil)

Adoum, Jorge, 1897-1958.
Grau do companheiro e seus mistérios, 2º grau / Jorge Adoum. — São Paulo : Pensamento, 2010. — (Coleção Biblioteca Maçônica Pensamento)

Bibliografia.
ISBN 978-85-315-0278-1

1. Maçonaria 2. Maçonaria — História 3. Maçonaria — Rituais 4. Maçons I. Título. II. Série.

| 10-08489 | CDD - 366.1 |

Índice para catálogo sistemático:
1. Maçonaria : Sociedades secretas 366.1

Direitos de tradução para a língua portuguesa
adquiridos com exclusividade pela
EDITORA PENSAMENTO-CULTRIX LTDA.
Rua Dr. Mário Vicente, 368 - 04270-000 - São Paulo, SP
Fone: (11) 2066-9000
E-mail: atendimento@editorapensamento.com.br
http://www.editorapensamento.com.br
que se reserva a propriedade literária da tradução.
Foi feito o depósito legal.

Sumário

Duas palavras ao companheiro.................... 9
1. Cerimônia do segundo grau e o seu significado 11
2. O quaternário e a unidade.................... 35
3. O quinário e a unidade........................ 54
4. O senário e a unidade......................... 72
5. A magia do verbo ou o poder das letras que deve aprender e praticar o companheiro......... 81
6. Esclarecimentos.................................. 110
7. Os deveres do companheiro................. 113
8. Os deveres do companheiro para com os demais 124

Bibliografia... 136

Dedico esta obra ao amigo Dr. Antonio Lázaro, companheiro na senda.

O Autor

Duas palavras ao COMPANHEIRO

Ser Companheiro é ser Obreiro da Inteligência Superior e Construtiva.

Seu trabalho perfeito, no grau de Aprendiz, o fez companheiro do Mestre Interno, o qual lhe dá o pão do saber e a água que satisfaz toda ânsia da vida.

O Aprendiz, ou Neófito, ao libertar-se do jugo da ignorância e das cadeias das paixões, dos erros e dos vícios, adquire o privilégio de ser um Companheiro digno de seu Íntimo, o qual é, ao mesmo tempo, seu Deus, o Mestre que o guia para o Amor, o Saber e o Poder.

Estando o Reino de Deus no homem, este deve buscá-lo dentro do seu corpo, do seu próprio mundo interno, para, no Segundo Grau, chegar a unir-se com o EU SOU, identificar-se com ELE, reconhecer e sentir sua Unidade.

Quando a consciência do Aprendiz, que é conhecimento, vê o irreal na matéria, então se desprende da envoltura material para identificar-se com o EU SOU, e, simultaneamente, com todos os seres.

Essa é a união com a Unidade, onde a consciência conhece-se a si mesma e aos demais a ela unidos; dessa maneira, o Conhecedor, o Conhecido e o Conhecimento se identificam.

O tempo de preparação do Aprendiz é de três anos, isto é, durante esse tempo ele deve dedicar-se ao estudo e à meditação, para merecer a elevação e o salário do Segundo Grau de Companheiro; de outra maneira, seria como presenteá-lo com um livro num idioma desconhecido, que de nada lhe poderia servir.

O Primeiro Grau é o grau da aprendizagem e do esforço no trabalho e no cumprimento do dever. Conhecemos alguns irmãos que, há mais de dez anos estão no Primeiro Grau, e quando foram convidados para ser elevados, responderam: "Toda uma vida não é suficiente para praticar o Grau de Aprendiz".

1. Cerimônia do segundo grau e o seu significado

1. Não há mais do que uma Iniciação, e esta é a que corresponde ao Primeiro Grau de Aprendiz.

As Cerimônias de elevação aos demais graus demonstram, somente, as etapas do progresso na Senda do Iniciado.

Em qualquer Ciência, Religião ou Hierarquia, a divisão em graus é de fundamental importância.

Portanto, a Cerimônia é necessária, na *recepção* do Candidato, para demonstrar a evidência do seu progresso e do seu esforço.

2. Com os ensinamentos do seu Mestre Interno, em Quem depositou toda a sua confiança, o Aprendiz, para adquirir a arte da Superação, chegou depois de muito esforço em servir ao merecimento de receber melhor salário e maiores conhecimentos. Esses conhecimentos o capacitam a escalar a Superação.

A Cerimônia de recepção do Segundo Grau demonstra, em seu simbolismo, as etapas da perfeição adquiridas pelo maçom ou construtor, por meio dos seus esforços pessoais.

3. Portanto, apesar do seu adiantamento, o novo Companheiro tem que seguir ainda a seu Mestre, que dirige e vigia seus passos sobre a Senda, porque, não obstante o seu progresso, ele não é capaz de caminhar por si só, sem necessidade de um Guia.

O Segundo Grau tem por objetivo fazer do neófito um vidente, isto é, abrir-lhe o olho interno a fim de seguir com sua LUZ INTERIOR em direção ao Magistério.

4. Eram necessários três anos para aperfeiçoar-se no Grau de Aprendiz, embora antigamente fossem cinco; mas, para o Grau do Companheiro os cinco anos são poucos para poder abarcar o Saber e as práticas que são exigidas.

5. O EXAME: Para poder apreciar o adiantamento do candidato, procede-se, como nas escolas e colégios, ao exame do discípulo. Esse exame não se limita a conhecimentos superficiais, senão a trabalhos sérios e a práticas fundamentais do Aprendiz. Esse exame é realizado no Templo e, em plena luz, isto é, o Aspirante dá conta do seu progresso ao seu Mestre Interno e dessa vez não é despojado de seus metais inferiores porque com o esforço de sua alquimia, transmutou-os em metais superiores.

6. No Segundo Grau não devem existir nem vendas nos olhos e nem o descobrimento simbólico do peito e do joelho esquerdo, porque o Aprendiz já conheceu a Verdade ou o caminho da Verdade. O Grau do Aprendiz tem o interrogatório do profano aceito, a fim de que esclareça suas ideias sobre o vício e a Virtude. No Segundo Grau deve esclarecer o que descobriu sobre a Verdade e a prática da Virtude, porque, sem Virtude, não se pode chegar à Verdade.

Cinco são as perguntas, mas variam segundo os Rituais. São:

7. O que é o Pensamento?

O Ser Pensante ou o Pensador é o Primeiro Aspecto do Deus Íntimo, no Reino do Homem, que tem a seu cargo o mundo do pensamento e suas modalidades, como a meditação, a imaginação, a concentração etc.

O ser humano se imagina como pensa, pensa como sente e sente como deseja; dessa regra deduz-se que, para pensar bem, devemos ter bons desejos e bons sentimentos.

Então, o Pensamento é a faculdade de conhecer as coisas e relacionar a mente do Pensador com essas coisas.

E assim se pode entender o que disse o Mestre: "Tal como pensa o homem em seu coração, assim é ele".

Do que já foi exposto conclui-se que o PRIMEIRO CAMINHO PARA O MUNDO DIVINO É O PENSAMENTO.

8. O que é a Consciência?

Consciência significa "*com conhecimento*", com o acesso do pensamento à Consciência, chegamos a *dar-nos* conta. Com a Consciência, o homem sente que é um "EU", e pensa porque que é. Por ser "EU", penso e porque penso, adquiro consciência dos meus pensamentos.

9. O que é a Inteligência?
A Inteligência é a faculdade que penetra para ler no interior das aparências.

Por meio da Inteligência — que é como a consciência aplicada ao pensamento — o homem chega a conhecer a natureza de todas as coisas que caem sob seus cinco sentidos, e, assim, por meio dessa faculdade, já poderá conhecer as Leis que governam o Universo, e, sobretudo, AQUELAS QUE GOVERNAM SEU PRÓPRIO MUNDO INTERNO, SUA PRÓPRIA VIDA ÍNTIMA, FÍSICA, MENTAL E ESPIRITUAL.

Com a Inteligência, o homem se distingue do animal, porque com a Inteligência, já pode usar a Vontade, bem como usar conscientemente o intento do Pensamento, o que o distingue dos seres inferiores à sua escala.

10. O que é a Vontade?
A Vontade é a faculdade de desejar e de trabalhar.

A Inteligência guia nosso ser para desejar o bom e o justo; a Vontade nos impulsiona à ação. Estas duas faculdades são como gêmeas e completam-se mutuamente.

Há pensamentos superiores e inferiores, segundo a classe de desejos; há consciência e subconsciência, pensamentos conscientes e pensamentos subconscientes; há inteligência racional e inteligência instintiva e, portanto, vontade racional e vontade instintiva. As primeiras fases são as que constituem nossos desejos e impulsos, em comum com os animais e seres inferiores, enquanto que as segundas são o resultado da reflexão e da determinação inteligente.

A marcha do Aprendiz, ao avançar o pé esquerdo, — com inteligência, pensamento e passividade —, deve corresponder a um avanço igual ao do pé direito, que é atividade, vontade e ação — em ESQUADRIA — ou seja, em perfeito acordo com o primeiro.

11. O que é Livre-arbítrio?

Esta pergunta preocupou e continua preocupando a mente humana, desde as mais remotas idades.

Da solução desse problema depende a irresponsabilidade ou responsabilidade do homem e, portanto, a utilidade de todo esforço.

O verdadeiro maçom deve solucionar esse problema, porque, se não fosse para o homem ter liberdade nem ser livre, não teria razão de existir.

Já se disse antes que o homem é tal como pensa em seu coração; assim, pois, cada um recebe o fruto dos seus pensamentos e de suas ações, de acordo com o que faz e realiza consciente ou inconscientemente.

Consequentemente, o Livre-arbítrio existe para o homem na mesma proporção do seu desenvolvimento inteligentemente espiritual.

O homem, dominado por suas paixões, não tem a liberdade individual que existe para o homem virtuoso e iluminado. O homem escravo de suas paixões é escravo dos demais, enquanto que o homem liberto é o Rei do mundo.

O Livre-arbítrio é uma realidade para o MESTRE QUE CONHECE A VERDADE, porque a VERDADE O FAZ LIVRE.

O MESTRE já dominou o instinto pela Inteligência, as paixões pela Razão ou Inteligente Determinação, o vício pela Virtude, assim como domina a fatalidade pela Liberdade. ESTE É O SIGNIFICADO DO LIVRE-ARBÍTRIO, E ESTE É O ÚNICO CAMINHO QUE CONDUZ A ELE. Depois de responder às cinco perguntas precedentes, o Aprendiz tem que fazer cinco viagens para realizar por seu esforço, o progresso desejado na Senda da Verdade.

12. QUEM SOMOS?

Para poder empreender as cinco viagens ou etapas do progresso na Senda da Verdade que outorga a Liberdade, o Companheiro deve ainda responder a importantíssima pergunta: QUEM SOMOS? No Primeiro Grau respondeu à pergunta: DE ONDE VIEMOS? Agora tem que empregar suas cinco faculdades para poder responder à pergunta: QUEM SOMOS?

Esta pergunta foi respondida pelo profeta Davi e pelo mesmo DIVINO MESTRE, quando disseram: "VÓS SOIS DEUSES". E assim podemos responder: "SOMOS DEUSES". Mas, inconscientes da nossa divindade, e por isso, é necessário que a Iniciação Interna nos abra a Inteligência à Luz da Verdade.

13. A PRIMEIRA VIAGEM é a primeira etapa do adiantamento ou progresso. O Companheiro leva consigo, nesta viagem, dois instrumentos: o Malhete e o Cinzel. Estes dois instrumentos, destinados a desbastar a Pedra Bruta, representam as duas faculdades gêmeas no homem, que são a Vontade e o Livre-arbítrio. Fortificando a Vontade por meio do autossacrifício, chega-se ao Livre-arbítrio. Disse um Mago: a Vontade do homem justo é a mesma Vontade de Deus.

Na primeira viagem, o Aprendiz, que já é agora Companheiro, aprende como usar sua Vontade e sua determinação inteligente, eliminando dela, como da pedra bruta, toda aspereza e partes supérfluas.

A Vontade educada é o resultado da Inteligência Iluminada pelo discernimento do Real; é a perfeita união do Amor com a Sabedoria.

14. A SEGUNDA VIAGEM constitui para o Companheiro como que uma obrigação para o progresso intelectual. Nesta viagem leva consigo dois instrumentos simples para seu objetivo: a Régua e o Compasso. "Deus geometriza", disse o velho Iniciado; dessa maneira, deve o Companheiro habilitar-se em Geometria, a qual lhe dá a Chave da Arte da Construção, e assim ele se converte em cooperador no plano do G∴ A∴ D∴ U∴.

Com a Régua e o Compasso pode-se construir todas as figuras geométricas, começando pela Linha Reta e o Círculo.

A Régua nos traça a linha reta, ou seja, o caminho reto na vida, que nos conduz ao mais justo, sábio e melhor, e nos lembra que nunca devemos nos desviar do nosso ideal.

O Círculo demonstra o Raio e o campo de ação das nossas possibilidades.

A Régua e o Compasso representam HARMONIA E EQUILÍBRIO.

A Régua traça a linha de conduta, que liga o presente e suas consequências com o futuro; liga ainda a causa ao efeito, o passado ao porvir.

O Compasso traça com o Círculo, o alcance da nossa linha de conduta em harmonia com o infinito.

15. Na TERCEIRA VIAGEM o Companheiro conserva a Régua em sua mão esquerda, e toma de uma Alavanca, que apoia com a mão direita sobre o ombro do mesmo lado.

Essa Alavanca representa as possibilidades que nos são oferecidas, com o desenvolvimento da nossa inteligência e compreensão. A Alavanca, com suas duas extremidades características, representa POTÊNCIA E RESISTÊNCIA.

A Potência deve ser usada para regular e dominar a inércia dos instintos, levantando-os e movendo-os, para obrigá-los a trabalhar na construção do nosso templo individual. A Alavanca serve como instrumento da inteligência, que determina, planeja e executa uma ação particular, que expressa exteriormente o desejo íntimo do coração.

A Alavanca é a FÉ que move montanhas, segundo a expressão do Evangelho.

A Alavanca da FÉ tem duas extremidades: o Pensamento e a Vontade. O ideal nobre do Pensamento e da Vontade é o ponto de apoio para levantar o mundo com a Alavanca da Fé.

A Régua, na TERCEIRA VIAGEM, simboliza, como já explicamos, a linha reta ou o ideal nobre. Sem a Régua, nossa vida se torna um caos.

16. Na QUARTA VIAGEM, o Companheiro seguirá com a Régua, dessa vez acompanhada do ESQUADRO, que simboliza os propósitos segundo o ideal que inspira. O Esquadro é o símbolo do TAO egípcio, isto é, a união do Nível com o Prumo, por meio dos quais se constrói a base e se levanta o edifício.

A Régua e o Esquadro representam a medida perfeita dos materiais que usamos para a construção, os quais devem ser proporcionais em suas três dimensões, de acordo com o lugar onde devem ser empregados, para que possa existir a homogeneidade, estabilidade e harmonia do TEMPLO.

A PEDRA CÚBICA, ou seja, a Individualidade desenvolvida em todas as suas faces, não serve ainda para o edifício social. O que realmente necessita é da pedra em perfeito esquadro em suas seis faces. Devemos desenvolver e trabalhar a pedra da nossa personalidade com as seis faculdades espirituais, que estão representadas pelos seis instrumentos que leva o Companheiro em suas viagens.

17. Na QUINTA VIAGEM, o Companheiro já não necessita de nenhum dos seis instrumentos usados nas quatro viagens anteriores; isso demonstra o completo desenvolvimento das faculdades internas já enumeradas.

Logo, na Quinta Viagem, o Companheiro vai em direção oposta à que seguiu até agora, e com uma espada dirigida contra seu próprio peito.

A direção oposta às quatro viagens anteriores significa que, depois de ter desenvolvido as seis faculdades principais no mundo exterior ou objetivo, está agora obrigado a penetrar no mundo INTERNO, para buscar a sétima faculdade, que é o PODER DO VERBO, representado pela letra "G", que está escrita dentro da Estrela Microcósmica. Uma vez dominada a natureza inferior, pelo adestramento das faculdades, é necessário empregar a atividade espiritual, a qual ascenderá aos cinco graus, dos quais falaremos depois.

O abandono dos instrumentos demonstra o domínio dos cinco sentidos, representados pela Estrela de Cinco Pontas, mas, agora, a Estrela irradia a Luz Interior, que não necessita de nenhuma regra.

Chega o momento em que o Iniciado deve abandonar *regras* e ensinamentos, que lhe foram úteis antes, porém que já não lhe servem mais no momento, porque Ele já se converteu no Templo ou Canal de EU SOU DEUS EM AÇÃO NESTE CORPO-TEMPLO e, assim, ouvirá sempre a Voz Silenciosa Interna e irradiará LUZ nas trevas da matéria.

18. A RETROGRADAÇÃO da Quinta Viagem tem, então, por objetivo, o regresso ao Mundo INTERNO, ao Paraíso de onde saímos, ao Reino de Deus que está dentro de cada um de nós. Nas quatro primeiras viagens o Companheiro, — tratando de dominar os espíritos da natureza, como

foi explicado no Grau de Aprendiz — afirma, na Quinta Viagem, o poder do Espírito sobre os elementais.

Desde o momento em que o homem começou a materializar seus pensamentos divinos *pela força*, teve que ser expulso do Jardim do Éden porque, com a conglomeração dos seus desejos, criou o Intelecto e abandonou a Consciência Impessoal Divina. Com a criação do Intelecto, formou um novo mundo na parte inferior do seu corpo, chamado inferno. Então começou a estudar o bem e o mal, acreditando que com esse estudo intelectual pudesse voltar de novo ao Paraíso.

Começou com suas viagens no mundo externo, e, por fim, chegou um momento em que, cansado do uso externo da sua mente, retirou-se ao seu interior, e ali encontrou o verdadeiro caminho para o Reino de Deus, prometido desde a formação dos séculos. Mas essas viagens através dos Elementos da Natureza, cheias, como temos visto, de dificuldades, sacrifícios e dores, obrigaram o homem a pensar e meditar na maneira de vencer esses obstáculos e isso foi o princípio de sua Iniciação Interna ou o retrocesso da Quinta Viagem.

Depois, por meio da Iniciação Interna compreendeu e sentiu que o Fim é igual ao Princípio: o *estado* edênico era Impessoal; assim, o Reino de Deus deve ser Impessoal.

19. A ESPADA CONTRA O PRÓPRIO PEITO. O Paraíso é o Mundo Interno, é o Reino de Deus. Desde a queda ou desde que o Intelecto fez o homem acreditar que era separado de Deus; o íntimo colocou o Anjo da Espada Fla-

mejante na Porta do Éden, JUSTAMENTE NA METADE DA ESPINHA DORSAL, de onde o homem saiu para o mundo externo.

Este Anjo, chamado Anjo da Espada Flamejante, impede a invasão da mente inferior ao Reino de Deus, o Éden da Bíblia. Existe também outro ser chamado Anjo Guardião; ambos intercedem pelo homem que deseja vivamente o regresso à sua morada edênica ou Reino Interno.

Os dois Anjos serão os dois guias ou vigilantes do homem, até que ele possa abrir novamente a Porta do Éden, de onde saiu. Então, o Anjo da Espada entrega ao Iniciado sua arma para defender-se do Fantasma do Umbral, entidade criada pelas más obras e pensamentos do homem.

Com a Espada Flamejante, o Iniciado corta o nó que impede a abertura da Porta.

É assim que a espada contra o próprio peito simboliza esse mistério desconhecido de todos. É o oferecimento do Anjo da *Porta* ao Iniciado, o qual pode atravessar, com o pensamento, o mundo dos desejos ou o mundo da alma, triunfante sobre todos os elementais inferiores.

Invocar o nosso Anjo da Espada e Anjo Guardião antes de adormecermos é um costume magnífico porque o homem, durante o sono, viaja muito longe do seu corpo e é muito necessário ter um Guardião junto ao seu Templo do Corpo.

20. Essas viagens são muitas vezes chamadas de viagens mentais. E é necessário explicar resumidamente esses ensinamentos.

As viagens simbolizam o esforço para dominar os espíritos da Natureza, que são os quatro elementais. Esses quatro elementais são emanação do Íntimo e plasmação do pensamento do homem. Todos têm trabalhado pela formação do homem e continuam trabalhando. Os elementais ou anjos do ar trabalharam a mente do homem ou seu corpo mental; os da água trabalharam e formaram o corpo de desejos; os da terra formaram seu corpo vital e os do fogo formaram o mundo das emoções e dos instintos. Todos esses quatro corpos se interpenetram no corpo humano para formar o homem completo.

O homem crucificado sobre esses quatro elementos pelos quatro elementais tem: os do ar em torno da cabeça e dos pés; os da água em todo o lado direito; os do fogo no peito e os da terra no lado esquerdo do corpo, todos confundidos e interpenetrados.

Esses seres são muito amigos do homem que pensa com justiça e sabe aplicá-la, ousa praticar, sabe fazer a vontade do Íntimo e cala por não desejar recompensa e fama. Convertem-se, então, em servidores dos gênios e artistas em geral. Plasmam suas características nas obras do homem segundo a pureza do pensamento.

21. Domina e é servido pelos anjos do ar aquele ser que dedica toda sua força de pensamento ao mundo interno. Com perfeita concentração pode chegar aos planos da vida Espiritual, onde alcança a iluminação. Para dominar os elementais do corpo de desejos ou da água, tem de extirpar as paixões grosseiras e chegar à impessoalidade.

Para dominar os anjos do fogo, tem de vencer seus instintos animais, emoções e tudo o que pode relembrar o animal. O domínio dos elementais da terra consiste num jejum racional, limpeza externa e interna, respiração e demais práticas esotéricas.

22. Quando o homem se converte em impessoal, como sua mãe, a Natureza, esta põe sob suas ordens seus elementos e elementais que lhe descobrem leis, filosofias e ciências de todas as idades. Os elementais superiores respeitam e obedecem a todo homem cuja concentração é perfeita. Eles próprios o convidam a penetrar em seu reino para instruí-lo na sabedoria Superior, escrita nas etapas internas do seu corpo físico; mostram-lhe as divisões e subdivisões do seu mundo interno e os habitantes de cada divisão. Também lhe ensinam a maneira de vencer as emanações dos átomos malignos; o instruem para distinguir as formas do pensamento, as mudanças do corpo e da mente com as estações e os anos. Ensinam-lhe as quatro etapas da vida, o movimento interno do organismo humano e a relação de cada parte do corpo com os mundos e sistemas solares, a circulação do sangue com o movimento universal, a respiração com os períodos do universo etc. (Leia o capítulo intitulado "A Iniciação egípcia e sua relação com o homem", no livro *Grau do Aprendiz e seus Mistérios*.)

23. Quando o homem pode atravessar e transpassar com o pensamento o corpo ou mundo de desejos, chamado *astral*, triunfante de todos os elementais inferiores deste mundo, passa a outro mais sutil, cujas forças têm relação íntima com o Espírito da natureza. O corpo de desejos é elaborado na região umbilical do homem e manifesta-se no *Fígado*. O terceiro, mais sutil, tem sua porta no *Baço*, e manifesta-se no Sistema Simpático.

Quem chega a esse mundo pelo pensamento sustido, está em comunicação permanente com as inteligências angélicas, possuidoras da memória da natureza, manifestada no homem pela intuição e, para ele, não haverá passado nem futuro.

24. As religiões valem-se da magia ritualística e simbólica para atingir esse mundo.

Os sagrados símbolos como a cruz, o triângulo, o círculo e o signo de Salomão etc., são, no mundo físico, teclas cujos sons se repercutem no sistema simpático, de onde o homem recebe resposta.

O significado de cada símbolo e número é interno e não como se explicou exteriormente. Por exemplo, a cruz não significa *morte* e sim *triunfo* sobre a matéria; também a fábula encerra verdade profunda.

A meditação sobre um símbolo sagrado atrai à mente átomos sagrados de luz e sabedoria, assim como atrai para o sistema simpático as vibrações do santo.

Para cada qualidade e virtude há um símbolo, assim como existe uma palavra e um número para cada uma delas, mas, até hoje não acodem à mente mais símbolos porque não os aprendeu, nem compreendeu sua lição nos atualmente existentes.

25. O número TRÊS é a base do Grau do Aprendiz, o CINCO é a do Grau do Companheiro.

As três primeiras viagens terminam perto do Segundo Vigilante, símbolo do Anjo Guardião, que está dentro do homem, mas a quarta e quinta viagens conduzem o Aspirante ao 1º Vigilante ou Anjo da Espada. Este lhe pede primeiro o TOQUE e, em seguida, a PALAVRA do Aprendiz.

Isso significa que, antes de poder escalar novamente o Éden, de onde caiu, o Aprendiz deve ter trabalhado com fervor, sempre viajando com sofrimentos e praticando com proveito, durante os três anos, para que possa ser digno da elevação.

A Coluna do Norte representa o lado esquerdo, negativo ou passivo do homem, cuja respiração é também passiva na narina esquerda; enquanto que o lado direito, bem como a respiração da narina direita, é positiva, vigorosa e poderosa. Nessas viagens, o Aspirante deve deixar a Coluna do Norte, onde *reina a escuridão*, para ingressar na do Sul, onde reina a LUZ.

Estando nesse lado, tem que subir e escalar cinco degraus da escada, para poder chegar ao Anjo da Espada, que vigia a Porta do Éden.

26. ESTES CINCO DEGRAUS são as cinco etapas que o Aspirante precisa atravessar para chegar ao Primeiro Vigilante. Esses degraus simbólicos representam o QUINÁRIO NO HOMEM, DE QUE FALAREMOS DEPOIS, NUM CAPÍTULO À PARTE; no momento, só podemos dizer que são cinco as etapas percorridas, as quais aludem às cinco provas iniciáticas. O primeiro degrau representa o triunfo sobre o elemento da terra ou a Prova da Terra; o segundo corresponde à Prova do Ar; o terceiro à da Água; o quarto à do Fogo; o quinto é a etapa do triunfo, ou o domínio do Espírito sabre os quatro elementos; é a Estrela Microcósmica, a Estrela Flamígera.*

27. No quinto degrau, o Aspirante adquire a iluminação ou a visão interna espiritual, e será um Vidente; converte-se na Estrela Flamígera. A LUZ do Íntimo irradia do seu coração com toda claridade, e guia seus passos, e os do seu *próximo*, na senda do progresso e da superação, e, dessa maneira, converte-se em SUPER-HOMEM. Essa Estrela é o símbolo do homem perfeito, do filho de Deus; tem cinco pontas, que correspondem aos quatro elementos e ao Espírito, e que são simbolizados pelos metais ordinários ou faculdades inferiores e comuns do homem: o chumbo e seu instinto, o estanho e sua atração vital, o cobre e seus desejos, o ferro e sua dureza, aos quais se une o Mercúrio Filosófico da Inteligência Suprema, que a todos amalgama e DOMINA.

Os MAGOS elegeram o PENTAGRAMA como o símbolo do Poder, ante o qual toda a natureza se inclina e obedece; porque o Homem, o Pentagrama ou a Estrela Microcósmica, com UMA SÓ PONTA DIRIGIDA PARA CIMA, É A IMAGEM DE DEUS, que reflete a Verdade, a Sabedoria e o Amor, afastando, com sua Presença, todos os *demônios* dos erros, das paixões, dos instintos e dos preconceitos.

* Também se usa a expressão Estrela Flamejante.

A Estrela Flamígera, com sua ponta para cima, representa o homem espiritual, que dominou a natureza interior; enquanto que, se invertida, isto é, com suas duas pontas para cima, torna-se o emblema dos magos negros, que procuram dominar por meio do erro, do pecado e do sexo, dominando a cabeça invertida contra o solo. A Estrela de Luz é o homem cuja cabeça está erguida para o alto: a das trevas é o homem cuja cabeça está voltada para o chão, tendo os pés para o alto; também está representada por um bode, desenhado num pentagrama invertido.

28. A LETRA "G" está escrita dentro da Estrela Flamígera. Mas, aqui cabe uma pergunta: Deve ser a Letra "G" do alfabeto latino que ocupa este posto? A mente humana é muito fértil. Todos os dicionários e manuais dão interpretações muito formosas sobre esta letra "G" ou esse sinal hieroglífico dentro da Estrela Flamígera. Da Letra "G" tiraram: GERAÇÃO, GEOMETRIA, GÊNIO, GNOSE, GRAVITAÇÃO, GRAÇA, GOZO e, não sabemos por que, se esqueceram de citar centenas de outros nomes e adjetivos grandiosos, que começam com a Letra "G".

Sentimos muito por, dessa vez, não podermos compartilhar a mesma opinião de milhares de maçons, porque tivemos que abrir e ler a Memória da Natureza.

29. Para que o Companheiro Maçom ou o profano possam compreender a verdade sobre a Letra "G" dentro da Estrela Microcósmica, devem voltar a ler o nosso primeiro livro: *Grau do Aprendiz e seus Mistérios*, no qual se fala sobre as cinco primeiras letras, ou então, na falta deste, deve ler *A magia do verbo ou o poder das letras**, de nossa autoria.

Supondo que você não tenha nem o primeiro e nem o segundo livro, diremos algumas frases sobre esse tópico.

A LETRA "G", dentro da Estrela Flamígera, é a terceira letra do alfabeto primitivo e expressa hieroglificamente a *mão* semicerrada, como a colher algo, e representa a GARGANTA.

A Garganta é o lugar onde se forma e se corporifica o VERBO ou a PALAVRA, nela concebida por meio da MENTE. E o Verbo que se faz CARNE, é o mistério da Geração, em virtude da qual o Espírito se une à carne, e por meio da qual o Divino se transforma em Humano. É, enfim, o filho, a humanidade, o Cosmos.

"G" significa o organismo em função.

Representa o dinamismo vivente.

No Plano Espiritual é o poder da Expressão. No Plano Mental é a TRINDADE, que representa o Espiritual, o Mental e o Físico (objetos do estudo do Grau de Companheiro).

No Plano Material é a manifestação, a geração dos desejos, ideias e atos, que expressam o gozo do exercício de nossos atributos. Vocalizar a letra "G", tal como explicamos em nossa obra intitulada *A magia do verbo ou o poder das letras*, promete a criação de ideias, produto de riquezas, abundâncias, e triunfos sobre os obstáculos.

A letra "A" é o princípio ativo (Pai); "B" é o passivo (Mãe); "G" é o princípio chamado Neutro (Filho).

Esta é a letra "G" sagrada da Maçonaria Iniciática, da

* Publicado pela Editora Pensamento, São Paulo, 1975.

qual, até agora, não se haviam descoberto seus múltiplos simbolismos e significações emblemáticas.

Mas temos que aprender a pronunciar a Letra "G" das crianças, quando estão contentes. A pronúncia de "G" na palavra — GARGAREJO — GARGANTA, surte o efeito real. "G" nunca deve ter o som do "J" espanhol. Deve-se sempre pronunciá-la como "GUE".

30. Cada letra representa um número no alfabeto semita, mas o alfabeto latino se afastou muito da regra, ao ordenar suas letras distintamente da primitiva; isso, talvez, porque suas letras necessitem de certas vozes, que manifestam certos sons, e, por isso, tiveram que empregar duas letras para expressar um som apenas. Um desses casos é o da letra "G" com a letra "C"; "U" com "V"; "C" com "K"; portanto, a letra "C" é uma consoante que possui autonomia própria.

Em resumo: "G", na Estrela Flamígera, significa o VERBO CRIADOR e o FOGO CRIADOR.

31. Ao escalar os cinco degraus (e negociar com os cinco talentos, que lhe foram dados para duplicá-los), o Companheiro caminha até chegar à ARA ou Altar do EU SOU DEUS EM AÇÃO, diante do qual deve dobrar o joelho esquerdo. O Esquerdo é a passividade, que recebe, enquanto que o Direito é a positividade que outorga e dá. Nesta posição, presta seu juramento (ou se compromete ante seu Deus Íntimo) em silenciar e em não revelar os segredos da Ordem, a ser fiel e leal; promete ainda fazer um constante esforço para adquirir o saber, praticando a Verdade e a Virtude. Ainda que: "LHE ARRANQUE O CORAÇÃO, DESTROÇANDO-O E LANÇANDO-O AOS ABUTRES, se perjura ou falta à suas promessas.

O Coração é o Altar de Deus; é o símbolo da vida, cujo objetivo é a evolução para a Divindade. Este juramento e que "O CORAÇÃO SEJA ARRANCADO" significam que, se o Companheiro não cumpre seus deveres e promessas, ele prefere deixar de viver, a viver sem nenhuma utilidade para a Obra do G∴ A∴ D∴ U∴..

32. A CONSAGRAÇÃO vem depois do juramento.

O Recipiendário continua ajoelhado; os irmãos formam, com suas espadas, uma abóbada de aço sobre sua cabeça. (Em Magia, esta abóbada de aço significa proteção contra os elementais inferiores, e, efetivamente, o Mago, com sua espada, domina os elementais e obriga-os a obedecer-lhe).

O Venerável Mestre é o Mago, Rei e Sacerdote, e representando o "EU SOU" comunica o poder ao Recipiendário por meio dos golpes de espada, de acordo com o Grau de Companheiro.

Este poder deve ser recebido com uma disposição interior especial, que é acompanhada de um ato exterior, que é o símbolo dessa atitude interior.

Estando, dessa maneira, consagrado, o Anjo da Espada se dispõe a entregar a arma flamejante ao novo Aspirante a Mestre, a serviço da Grande Obra de Construção Universal.

33. O Avental, que o Companheiro coloca de uma maneira diferente da do Aprendiz, significa o isolamento do mundo externo de seus órgãos sexuais criadores, a fim de que sua energia tome o caminho do mundo interno e possa o Aspirante alcançar a Superação. Pode ter outras interpretações; esta, porém, é a mais acertada, posto que o maçom deve, antes de tudo, edificar seu Templo-Corpo, para ser morada digna do Íntimo. A *lapela abeta* triangular, dirigida para baixo, indica que Deus se fez homem. A Estrela Flamígera, na lapela, confirma a interpretação. Debaixo da lapela está a letra "G", entre duas espigas, o que simboliza o PODER DO VERBO CRIADOR entre os dois polos da ENERGIA DIVINA ou as duas correntes da vida, que descem por ambos os lados da coluna vertebral, e que, ao se unirem no SACRO, formam o terceiro elemento divino que ascende pelo cordão central à cabeça produzindo a iluminação.

34. A MARCHA DO GRAU consiste em que, depois de dar os três passos de Aprendiz, acrescenta outros dois, diferentes dos anteriores. Cinco passos recordam cinco viagens, cinco golpes, cinco pancadas de bateria, assim como o sinal de reconhecimento. Os três primeiros passos do Aprendiz simbolizam as três primeiras viagens ou esforços para a Superação. O quarto passo se desvia para a região do Sul, enquanto que o quinto volta em linha reta sobre seus primeiros esforços.

35. O TOQUE foi explicado no Grau de Aprendiz. No de Companheiro se traduz: "quem mais tem, mais deve dar."

36. O SINAL, pondo a mão direita sobre o coração, órgão da vida e Altar de Deus, significa: "prometo, como Deus Homem ou filho de Deus, e reafirmo minha promessa em COOPERAR NA OBRA DO G∴ A∴ D∴ U∴; a mão esquerda aberta e levantada forma a Estrela de Cinco Pontas, que é o símbolo do homem triunfante em suas provas.

37. A PALAVRA DE PASSE É *SABIL*. Muitos intérpretes lhe dão o significado de "espiga", "verde", "espargir", "proceder"; entre outras interpretações, significa "A SENDA" ou "O CAMINHO". Cremos e podemos até afirmar por certas razões, que este último significado é o mais acertado. Portanto, as demais interpretações cabem e podem considerar-se como boas para o passo do Primeiro ao Segundo Grau.

O Recipiendário traçou um SHCBIL, um Caminho, do qual não pode e nem deve afastar-se, porque é o Caminho do Serviço e da Superação.

38. A PALAVRA SAGRADA É *KUN*. Também tem muitas interpretações, mas a única certa é: "FAÇA-SE" ou "SEJA". E disse Deus: "KUNI FAKANAT", isto é, "Faça-se, e foi feito". Em outra parte disse "LIAKON NOUR"; significa: "Que seja feita a Luz, e a Luz foi feita."

39. O Primeiro Grau de Aprendiz tem por objetivo descobrir o mistério da pergunta: "De onde viemos?" O iniciado no Primeiro Grau devia estudar a UNIDADE, A DUALIDADE E A TRINDADE, até reconhecê-las.

No Segundo Grau de Companheiro está obrigado a buscar uma resposta satisfatória à segunda pergunta: "Quem Somos?", estudando os mistérios do seu próprio ser em seus três aspectos.

"CONHECE-TE A TI MESMO" deve ser um trabalho individual; ninguém pode lhe ajudar.

A resposta à pergunta: "Quem Somos?" obriga o Companheiro a estudar as leis e mistérios do QUATERNÁRIO, QUINÁRIO e SENÁRIO, para que esta resposta seja verdadeira e satisfatória.

Comecemos a estudar o QUATERNÁRIO (Veja nossa obra *As chaves do Reino Interno*).*

---

* Publicado pela Editora Pensamento, São Paulo, 1978.

2. O quaternário e a unidade

40. O Círculo representa o Absoluto Imanifestado; o um simboliza o Espaço potencial sem dimensão, é o Pai que, em si, abarca o todo; o número dois, ou Dualidade, é a Mãe que determina a primeira dimensão. Unido o Um ao Dois somam três ou a Trindade, manifestação perfeita no homem e no Universo.

41. Porém, para que os três Primeiros Princípios possam manifestar a Criação do Íntimo Absoluto, do interior para o exterior, ou toda manifestação objetiva, foi necessário que a Trindade emanasse de si quatro elementos ou divindades que compunham a estrutura material do mundo.

42. Essas quatro divindades emanadas da Trindade chamam-se: Fogo, Ar, Água e Terra. As vibrações da Trindade nos quatro elementos ou divindades, chamadas pela Bíblia *Elohim*, formam e constituem os elétrons. As combinações desses elétrons, segundo número, peso e medida, formam a matéria.

O Espírito é a Força que penetra a matéria e nela causa as vibrações. O Espírito é uma parte da Energia *Una*.

A Força da Vida é a outra parte da mesma energia, que entra no corpo no instante do seu nascimento no mundo físico.

43. Fogo, Ar, Água e Terra não são divindades primárias, senão princípios por que se manifesta a matéria. As Divindades são somente três, porém os princípios são quatro. De modo que podermos reuni-los nos seguintes termos:

Criação Material, Unidade completa.
Nous Um duplo: Binário.
Uma Trindade ou Divindades.
Princípios em uma manifestação.

44. O número quatro representa a separação aparente do homem do seu Deus, ou a passagem de um mundo a outro. Assim como a célula, pelo estímulo e movimento, produz outra célula de sua própria classe, assim também tudo quanto existe deve ser dual em sua natureza, trino em sua manifestação e quaternário para a sua realização.

O Amor que une o Pai a Mãe gerando o Filho.

1 — 2 — 3 são manifestações invisíveis; o 4, os quatro elementos, cristaliza a manifestação invisível em visível.

45. O número 4 é a Cruz (+) dos elementos, sobre a qual o homem está colocado. Devemos aqui notar que o símbolo da cruz não significa morte; ao contrário, é o símbolo da vida.

Os quatro elementos representam, simbolicamente, os quatro braços da cruz.

46. No corpo do homem, em forma de cruz, encontramos o elemento que corresponde ao fogo no peito e o coração que produz o calor vital; o ar, nos pés que movem o organismo; a água, no lado direito e na função assimilativa do fígado; e a terra, no lado esquerdo e nos intestinos correspondentes a essa parte.

Na mão direita está o Fogo que dissolve e, na esquerda, o poder que coagula.

De modo que o reino do quaternário é o Reino da Natureza, construído pelos quatro elementos.

47. As estações do ano correspondem: a primavera, ao ar; o verão ao fogo; o outono à água, e o inverno à terra. Toda matéria se manifesta nesses quatro chamados princípios; porém, as divindades que os compõem são três em número e chamam-se Divindades Primárias.

48. Toda matéria é redutível a Três Divindades Primárias que se expressam em e por meio dos quatro elementos. Esse é o Gênese da Bíblia e dos ocultistas; nascendo o fogo ou respiração como calor do Ar, condensando-se os dois em água e produzindo-se nessa a terra por efeito do fogo.

49. No mundo moral traduz-se assim: "O fogo é a vontade do ser; unida ao ar, que é o pensamento, produzem ambos a Água, emoção ou desejo, produzindo-se pelo desejo a ação".

Jamais se deve confundir o elemento com o espírito, assim como não se deve confundir o corpo do homem com o Espírito do homem; os elementos são corpos físicos das entidades internas do ar, do fogo, da água e da terra.

Quando os elementos do fogo dominam o homem, fazem-no violento e dão-lhe o temperamento bilioso; os do ar tornam-no reflexivo e inteligente e dotam-no de temperamento sanguíneo; os da água fazem-no sensitivo e impressionável, outorgando-lhe um temperamento linfático; os da terra fazem-no ativo, constante e dão-lhe temperamento nervoso.

50. Os elementos correspondem às qualidades morais do homem e estão representados pelos quatro animais da esfinge e os quatro animais do Apocalipse e a quadratura do círculo dos sábios.

Quando o homem, no futuro, chegar à União com seu Íntimo, poderá compreender o significado dos versículos 6-7-8 do quarto capítulo do Apocalipse de São João que dizem:

Vers. 6. E à vista do trono [corpo] havia como um mar de vidro, semelhante ao cristal [é a matéria espiritualizada que se torna transparente] e, no meio do trono [corpo] e ao redor do trono, quatro animais [os quatro elementos] cheios de olhos adiante e atrás. Vers. 7. E o primeiro animal, semelhante a um leão [o Espírito do Fogo, o discernimento espiritual, o poder da vontade], e o segundo animal, semelhante a um bezerro [o Espírito da Terra, a ação, a expressão da vontade] e o terceiro animal que tem rosto como de homem [o Espírito da água, o sentimento consciente do que faz] e o quarto animal, semelhante a uma águia voando [o Espírito do ar, o pensamento que está inteligentemente calado e silencioso.] Vers. 8. E os quatro animais, cada qual tinha seis asas [os seis sentidos desenvolvidos completamente pela regeneração] e ao redor e dentro estão cheios de olhos [completamente transparentes pelo desenvolvimento] e não cessavam, dia e noite, de dizer: "Santo, Santo é o Senhor, Deus onipotente, o que era, o que é, o que há de vir."

51. Essa é a quadratura do círculo. Quando o homem domina os quatro elementos inferiores que reinam atualmente em seu corpo físico, manifesta os quatro princípios superiores, cujas vibrações o fazem voltar ao Círculo, à Unidade, ao *Eu Sou*.

52. O Círculo ou Ciclo da Vida é como a eclíptica e o ano. As quatro estações e os quatro elementos na natureza têm a correlação para demonstrar a quadratura do círculo ou a expressão e adaptação dos quatro no ciclo da vida.

53. Do Círculo emana um raio determinado, como elemento criador. Desse raio manifesta-se o segundo: o primeiro é Som e o segundo é Luz. O primeiro é a linha vertical e o segundo é a transversal ou horizontal. Ambos formam a perfeita expressão da quadratura que vem a ser a Cruz dentro do Círculo.

Os quatro ângulos retos ou os quatro braços da Cruz, como expressão tetrágona do homem, devem encontrar-se no centro da Cruz, onde reside o ser inteligente que pode medir a expressão circular em seus quatro elementos. Já dissemos no primeiro capítulo que, para dominar os elementos inferiores da água, temos de extirpar as paixões grosseiras e chegar à impersonalidade; para dominar os elementos do fogo, temos de vencer os instintos animais. O domínio dos elementos do ar consiste na concentração perfeita, e o triunfo sobre os da terra consiste num jejum racional, na limpeza interna e externa e finalmente na respiração adequada.

O iniciado que triunfa dos quatro elementos inferiores, encontra a Lei interna da Cruz que é a Lei da vida e do triunfo, a qual, expressando-se para fora, pode manifestar os quatro pontos do ciclo da existência.

54. Misticamente, a relação de *pi* ($22 \div 7 = 3{,}14159$), com a qual se mede a circunferência pelo diâmetro, demonstra a criação e a realização. A trindade, 3, a que se junta nova unidade, de outra origem, passa a ser quaternário ($3 + 1 = 4$); depois, esse quaternário, ou a cruz, deve unir-se a outra unidade para formar a estrela de cinco pontas: o

Homem, (3 + 1 = 4; 4 + 1 = 5), o homem por sua evolução tem de chegar a 9, número perfeito da humanidade; e assim temos (3,14159).

55. A cruz dentro do Círculo é a perfeição individual, realizada pela obediência à Lei Interior e que deve expressar-se exteriormente em pensamentos, palavras e obras. O triângulo representa o mundo Divino, a Cruz representa a Natureza. O Quaternário, a Cruz e o quadrado representam o Templo de Deus no homem.

56. Aqueles que estão familiarizados com a astrologia podem tomar qualquer folha de Horóscopo cujo diagrama é quadrado. Nesse diagrama podem ver o mesmo Zodíaco, síntese das Influências Cósmicas; pode representar-se subdividindo em triângulos o espaço compreendido entre dois quadrados, formando o conjunto "a descrição da celestial Jerusalém, ou a nova Jerusalém", que é o corpo do homem, objeto do Capítulo 21 do Apocalipse de São João. Descreve-nos esse capítulo o futuro do Iniciado que triunfa em todas as suas provas e chega a dominar sua natureza inferior. Seu corpo transforma-se na cidade apocalíptica, chamada alegoricamente Jerusalém: a cidade da paz.

Uma vez convertido o corpo em instrumento do *Eu Sou*, já se chama Jerusalém, a cidade do Senhor.

Veremos agora como interpreta o Apocalíptico no capítulo 21.

57. Vers. 9. E veio um dos sete anjos que têm as sete taças cheias das sete últimas pragas e me falou dizendo: — Vem cá, eu te mostrarei a esposa (alma humana) que tem o cordeiro (Cristo) por esposo.

Vers. 10. E levou-me, em espírito, a um monte alto [topo da cabeça] e mostrou-me a cidade Santa [corpo] de Jerusalém, que descia do céu da presença de Deus.

Vers. 11. Que tinha a claridade de Deus [porque não a escureciam os instintos nem os desejos] e sua luminosidade era semelhante a uma pedra de jaspe [isto é, era transparente] à maneira de cristal.

Verso 12. E tinha um muro extenso e alto com doze portas e, às portas, com anjos; e os nomes escritos são os nomes das doze tribos dos filhos de Israel.

O último versículo nos mostra claramente que o homem é a imagem perfeita do Grande Arquiteto. Os signos zodiacais, segundo as mitologias e todas as escolas herméticas, estão ligados intimamente a todos os mistérios da alma humana.

Os signos são as doze grandes hierarquias criadoras que trabalham até hoje por meio dos doze anjos nas doze portas do corpo humano, chamadas pelo Apocalíptico as doze tribos dos filhos de Israel. As doze grandes hierarquias são as que ativaram o trabalho da evolução em todos os períodos passados e continuarão ativando-o no futuro.

Cada um dos anjos hierárquicos tem sua influência em uma parte ou porta do corpo físico, como veremos depois.

Com o quadro seguinte podemos ter uma ideia clara das doze hierarquias criadoras e seus estados.

As doze Hierarquias são as emanações dos Sete Espíritos ante o Trono do Íntimo. Assim como na oitava musical há doze semitons que correspondem aos doze signos zodiacais, assim também os sete são manifestação da Trindade e a Trindade se manifesta e encontra-se na Unidade com o Absoluto.

O homem deve seus veículos mais elevados e o mais baixo — desde o Espírito Divino até o corpo denso — às doze hierarquias — porque elas, em cada período, desenvolvem algum novo aspecto do corpo denso durante os períodos cósmicos chamados: saturnino, solar, lunar e terrestre, e prosseguirão esse desenvolvimento nos porvindouros: de Júpiter, Vênus e Vulcano, até que o homem complete as 777 encarnações.

AS DOZE GRANDES HIERARQUIAS CRIADORAS OU DOZE SIGNOS ZODIACAIS

1. *Áries*. Representa o sacrifício. Emanou de si os átomos cerebrais do Homem Cósmico. É o Pai, motor pensante, instinto e inteligência.

2. *Touro*. Representa a fecundidade do sacrifício; é a força procriadora da Natureza; é a Mãe. É a garganta do Grande Ancião dos Dias; é a fecundidade e a força do pensamento silencioso, de tudo o que é amável e bom.

As dez restantes expressam a década que é chamada a Árvore dos Sephiroth (emanações ou Árvore da Vida).

3. *Gêmeos*. Serafins. No período lunar, despertaram no homem o Ego.
4. *Câncer*. Querubins. No período solar despertaram no homem o Espírito de Vida.
5. *Leão*. Tronos, Senhores da chama; no período de Saturno despertaram o germe do corpo denso.
6. *Virgem*. Dominações. Senhores da Sabedoria. No período solar deram o corpo de vida ou vital.
7. *Libra*. Potestades. Senhores da individualidade no período lunar, deram o corpo de desejos.
8. *Escorpião*. Virtudes. Senhores da forma. No período terrestre encarregaram-se da evolução do homem.
9. *Sagitário*. Principados. Senhores da Mente. Trabalharam os Átomos mentais superiores.
10. *Capricórnio*. Arcanjos. Modelam atualmente o corpo de desejos, superior.
11. *Aquário*. Anjos. Os do Instinto, do desejo para a nutrição, a propagação etc.
12. *Peixes*. Espíritos Virginais. É o homem atual que encerra em si todos os anteriores, e o caminho da evolução ou da ascensão.

Essas doze hierarquias tiveram de abrir no corpo humano doze portas para poderem nele operar, e são as seguintes:

duas orelhas
dois olhos
duas narinas
uma boca
duas mamárias
um umbigo
um órgão de excreção
um órgão de geração.

Segundo a Astrologia, Áries domina a cabeça; Touro, a garganta e o pescoço; Gêmeos, os pulmões e os braços; Câncer, o estômago; Leão, o coração; Virgem, os intestinos; Libra, os rins; Escorpião, os órgãos sexuais; Sagitário, os quadris e os músculos; Capricórnio, os joelhos; Aquário, os tornozelos e Peixes domina os pés.

Essas doze hierarquias estão encerradas no Homem Celestial ou cidade santa e correspondem às doze faculdades, lóbulos ou centros cerebrais, e comparam-se aos filhos de Jacó, que são os seguintes:

Rúben	Percepção	Aquário
Simeão	Conhecimento	Peixes
Levi	Associação	Gêmeos
Judá	Oração e fé	Leão
Dã	Juízo	Libra
Neftali	Egoísmo	Capricórnio
Gad	Memória	Escorpião
Aser	Vontade	Virgem

45

Issacar	Amor e ódio	Touro
Zabulon	Fecundidade	Câncer
José	Simpatia	Sagitário
Benjamim	Poder na aflição	Áries

Vers. 13. Pelo Oriente existiam três portas; pelo setentrião, três portas; pelo meio-dia, três portas e três portas pelo Ocidente.

Vers. 14. E o muro da cidade tinha doze fundamentos e, nesses doze, os nomes dos doze Apóstolos do Cordeiro. (Esses símbolos também estão representados nos doze discípulos de Jesus).

O Espírito dispõe de doze faculdades ou centros de ação, com doze anjos ou entidades atômicas que presidem a esses centros.

Quando o Iniciado (exemplo: Jesus) adquire a perfeição espiritual, de fato, começa a desenvolver poderes de maior amplitude, enviando seu pensamento, aspiração e respiração aos centros ocultos do seu organismo para despertá-los e saturá-los de energia.

Esses centros começam, por ordem do pensamento e da vontade manifestada pela palavra, a exteriorizar e plasmar a Vontade do *Eu Sou*.

A segunda vinda simbólica do Cristo significa que, quando o espírito Crístico ressuscita no homem, pode despertar seus doze centros, regenera a subconsciência e converte-a em Superconsciência (que é a segunda vinda de Cristo).

Na revelação de São João vemos a Jerusalém Celestial, que é o corpo físico do homem cuja alma perfeita, esposa ou luz de Deus, que ilumina a Cidade Quadrangular, que tem doze cimentos e quatro muralhas com três portas em cada muralha.

Doze anjos são os obreiros do Espírito dentro do homem e cada anjo preside a uma função e trabalha por meio de agregados de células chamadas centros ganglionares ou glândulas endócrinas.

O Grande Centro de todo esse sistema está no topo da cabeça onde se manifesta e reina o *Eu Sou*. É a montanha de todos os profetas, aonde iam adorar, em retiro, para chegar à união com o Deus Íntimo.

De maneira que os doze Apóstolos simbolizam as doze Hierarquias que governam os doze centros do Sistema Simpático para manifestação do Cristo na Segunda vinda e são os seguintes:

Pedro	Fé	Centro do Cérebro	Pineal
André	Fortaleza	Os rins	Suprarrenais
Santiago	Acerto	O estômago	Pâncreas
João	Amor	Post-coração	Timo
Filipe	Poder	Raiz da língua	Tireoide
Bartolomeu	Imaginação	Entrecenho	Pituitária
Tomé	Sabedoria	Centro frontal direito	Apêndice
Mateus	Vontade	Centro frontal esquerdo	Sacro
Santiago (Alfeu)	Ordem	Umbigo	
Judas Tadeu	Eliminação	Base da espinha	
Simão Cananeu	Zelo	Parte posterior do cérebro	
Judas Iscariotes	Vida	Glândulas sexuais	

A Fé produz Força e a Força reage em Fé. O Amor sem acerto é desastroso e ambos juntos produzem a aquisição da riqueza. A imaginação cria e o poder se expressa imaginativamente. A Sabedoria e a Vontade marcham sempre unidas; a Ordem e o Zelo caminham com a Reprodução Humana e a Reprodução Materna leva consigo o Céu. Nem a colocação, nem os nomes dessas faculdades são arbitrários. Por sua vez, essas faculdades dividem-se e subdividem-se à medida que se desenvolvem. Assim, a Ordem, colocada na raiz da língua, governa o gosto, regula a ação do homem. A Ordem subdivide-se em Harmonia, Paz e Gozo. A Fé compreende a Confiança. A Fortaleza abarca o Vigor, a Resistência e a Energia. A Imaginação e a Visualização completam-se. O acerto significa também Justiça, justa apreciação dos fatos e dos homens, justo uso, julgamento acertado. O zelo leva consigo o Entusiasmo e em seu extremo se torna Fanatismo religioso ou político. A Vida cobre a Reprodução e a Saúde. A Eliminação refere-se às toxinas; a digestão e a purificação de todo pensamento ou emoções negativas.

 Cada um desses Centros pode e deve desenvolver-se por meio de afirmações e negações, pela aspiração, respiração e meditação ou, se já atingiu a compreensão completa da Individualidade e da Dignidade Cósmica, por meio da Comunhão com o Infinito. Quando o Batismo da palavra banha um Centro, este desenvolve a Vontade, o Acordo, a Imaginação, a Saúde, a Prosperidade, o Poder, o Vigor, a Harmonia, a Fé, a Paz. E as células se eletrificam, vitalizam-se e renovam-se, caso nelas se concentre o pensamento, se lhe falamos, especialmente quando a mente consciente e o corpo estejam em repouso. Diz a medicina que só metade das nossas células está constantemente em atividade, desperta, vibrante, eletrificada, e que a outra metade dorme. Eis o poder que pode despertar, fazer vibrar, comunicar nossa vida às células todas do nosso organismo. Os que ignoram esses métodos chamam milagres aos resultados que se obtêm.

Ora, o propósito é manter o equilíbrio de todas as nossas faculdades, desenvolvendo aquelas que achamos débeis e moderando as que tenham um excessivo crescimento nocivo. Todas devem ser presididas harmonicamente pelo Cristo, o *Eu Sou*, cuja manifestação está situada no topo da cabeça, onde a personalidade do Homem comunga serena, confiada e tranquilamente com o Infinito.

Vers. 15. E o que falava comigo tinha uma medida de uma cana de ouro [espinha dorsal] para medir a Cidade, às portas e o muro.
Vers. 16. E a Cidade é quadrada, tão larga quanto longa, e sua altura e comprimento são iguais. [Volta São João ao corpo do homem que, estando os braços abertos, em forma de cruz, mede o mesmo na largura quanto na altura].
Vers. 17. E mediu seu muro e tinha 144 côvados [1 + 4 + 4 = 9 que é o número da humanidade] de medida de homem, que era a do anjo.

Vers. 18. E o material desse muro era jaspe [todo harmonia], mas a Cidade era ouro puro [todo espiritualizado] semelhante a um vidro límpido [todo transparente e sem mancha].

Vers. 19. E os fundamentos do muro da Cidade estavam adornados de toda pedra preciosa [aqui nomeia as pedras preciosas que correspondem aos doze signos zodiacais, tema tão discutido hoje].

Segundo a filosofia hermética, a Mônada ou espírito dimanente de Deus, antes de chegar ao reino humano, há de passar pelos três reinos elementais, mineral, vegetal e animal, durante uma cadeia planetária em cada um desses reinos. De modo que a Mônada hoje residente no reino mineral da atual cadeia planetária não chegará ao reino humano antes da sétima e última cadeia planetária do universo regido por nosso Logos. Pois bem, essas Mônadas residem nas pedras preciosas que, por seu aspecto e constituição, consideram a filosofia esotérica como seres superiores do reino mineral, assim como o homem é o ser superior do Reino Animal. Portanto, toda Mônada evolucionada reside numa pedra preciosa e como o homem é o ser mais perfeito que já tenha passado por esse reino, forçosamente em si tem de tudo do reino mineral, isto é, a semente espiritual desse reino. São João atribui a cada signo uma pedra preciosa, isto é, o que pôde cada anjo operar na matéria. Quando o homem chega à perfeição desejada, faz com que um dos seus centros indicados brilhe e irradie uma cor muito semelhante à de uma das pedras preciosas, que estão enumeradas desse modo: o primeiro fundamento era jaspe; o segundo, safira; o terceiro, calcedônia; o quarto, esmeralda.

Vers. 20. O quinto, sardônica; o sexto, sárdio, o sétimo, crisólita; o oitavo, berilo; o nono, topázio; o décimo, crisopraso; o undécimo, jacinto; o duodécimo, ametista.

Todas essas pedras, segundo a Cabala, possuem suas virtudes; por exemplo: esmeralda protege a castidade; ametista preserva da embriaguez e da vaidade etc. Cremos que com essas explicações já podemos compreender o significado dos centros e sua relação com as pedras preciosas que correspondem às virtudes e poderes do Espírito no corpo do Homem.

Vers. 21. E as doze portas são doze margaridas [assim como as margaridas têm várias folhas ou pétalas, assim também cada centro irradia vários raios e cada raio representa uma virtude], uma em cada uma; cada porta era de uma margarida; e a praça da cidade, ouro puro, como vidro transparente.

Vers. 22. E não vi nela templo porque o Senhor Deus Todo-poderoso é o templo dela, e o Cordeiro (porque o homem futuro estará identificado com o Eu Universal).

Vers. 23. E a cidade não há mister de sol nem lua que luzam nela, porque a claridade de Deus a iluminou e sua lâmpada é o Cordeiro.

Vers. 24. E andarão as gentes em sua luz e os reis da terra levar-lhe-ão sua glória e honra.
Vers. 25. E suas portas não se fecharão de dia porque não haverá noite ali.
Vers. 26. E levar-lhe-ão a glória e a honra das nações.
Vers. 27. Nela não entrará coisa alguma contaminada, nem nenhuma que cometa abominação e mentira, senão apenas os que estão inscritos no livro da vida do Cordeiro. [Porque, então, o homem estará puro em pensamento, palavras e obras.]

58. Esse é o futuro do homem evolucionado, o homem que, por meio da aspiração, respiração e meditação puras e perfeitas chega à união com o *Eu Sou* íntimo.

O estudo do quadrado nos conduziu ao estudo da cidade Santa. O quadrado sempre foi a perfeita imagem do templo perfeito e da Cruz.

Estudamos a quadratura do Círculo e quando a cruz começa a girar, quer dizer, quando o reino da Natureza chega à evolução completa, o quadrado e a cruz giram em redor do Centro e formam novamente o Círculo ou o que equivale dizer, voltam à perfeita união com o Absoluto.

59. Antes de finalizar este capítulo, desejamos refrescar a memória do aspirante relativamente à prática e desenvolvimento dos centros, que consistem no seguinte:

Concentrar e visualizar a virtude ou poder do centro que se deseja desenvolver. Suponhamos que o centro desejado seja o cérebro, fonte de fé. Ao concentrar na glândula pineal e ao visualizar o poder e o efeito da fé, o sangue flui para esse centro e começa a desenvolvê-lo.

Depois da concentração temos de despertar o desejo ardente de possuir esse poder e evitar matá-lo com a dúvida: porém, caso a dúvida nos invada, podemos repeli-la com uma frase: *Eu e Ele somos Um*.

Depois se inala pela narina esquerda (recordando-se sempre de que a inalação pela esquerda é receptiva) os átomos da fé durante oito palpitações do coração; reter a respiração durante quatro pulsações; exalar, durante oito e, com o pensamento enviar os átomos aspirados para aquele centro. Durante a retenção, que deve durar quatro pulsações, pode-se formular uma curta oração como: Graças meu Pai! ou esta: Pai, confio em Ti! etc.

Terminada essa respiração pode-se recomeçar, porém desta vez principiando pela direita como foi indicado no método yogue na primeira parte.

Depois deve-se praticar as sete inspirações por ambas as narinas.

60. Depois do exercício podemos continuar formulando nossas afirmações positivas, crendo no que visualizamos, negando com ênfase a dúvida e o medo.

Chegará o dia em que o homem, afastando-se de todo templo e entrando dentro de si, ali se achará com o Pai e o Pai o ouvirá no silêncio.

3. O quinário e a unidade

61. O quaternário e os quatro elementos são, como já dissemos, os princípios pelos quais a matéria se manifesta.

Também já se disse: tudo quanto existe deve ser dual em sua natureza, trino em sua manifestação e quaternário para a sua realização. Porém, se o quaternário não se unisse ao quintenário que é a vida, toda materialização morreria, de modo que é necessário unir uma quinta essência aos quatro elementos para dar-lhes vida e movimento.

62. Essa Quinta Essência ou o quinário representa a aspiração, o alento que mantém a vida no criado; daí a ideia de que todo o animado se mantém por efeito do anélito.

O próprio ser manifesta-se pelo alento que dá ação à vida.

De modo que o alento ou respiração é o meio que une o Espírito Divino ao corpo material, assim como o homem une Deus com a Natureza.

63. O homem é quinário; quatro elementos e um Espírito que, por seu alento, vivifica os quatro.

1º A ideia da vida, da animação.
2º A ideia do Ser.
3º A ideia da união do Espírito ao corpo.

64. O alento-respiração representa a penetração do poder Criador através do mundo divino, do mundo intelectual e do mundo material.

65. A respiração é dual: a direita é a lei; a esquerda é a liberdade.

66. O ano, respiração do Sol, tem quatro estações: a respiração tem quatro pulsações que correspondem às estações do ano.

1º pulsação — Inalação — Outono.
2º pulsação — Descanso — Inverno.
3º pulsação — Expiração — Primavera.
4º pulsação — Descanso — Verão.

67. O homem, igual ao Universo, tem duas medidas dentro do corpo: 72 pulsações do coração por minuto e 18 respirações por minuto.

Em um dia de 24 horas há 1440 minutos ($24 \times 60 = 1440$). As respirações do homem em um dia, ou em 1440 minutos, à razão de 18 respirações por minuto são igualmente: $1440 \times 18 = 25.920$. Dia cósmico do Sol.

Se dividirmos o número 25.920 por 72 ($25.920 \div 72 = 360$) teremos o valor da circunferência em graus.

Pondo à prova ambos os números 72 e 18 em diversas direções teremos o seguinte:

360 × 72 respirações igual a 25.920 respirações, igual a 1 dia.

360 × 360 × 72 respirações igual a 360 dias, igual aos dias ou graus de 1 ano.

360 × 360 × 72 × 72 respirações igual a 72 anos.

360 × 72 × 72 igual a uma precessão.

Porém, os 360 são o valor dos graus da circunstância e não os dias do ano, de modo que nos faltam 5 dias para o ano. Mas, ao calcular os cinco dias restantes teremos:

5 dias igual 5 × 72 = 360 = 360 × 360 respirações.

Os verdadeiros valores do quádruplo grupo anterior são:

360 × 72 respirações, igual a 1 dia.
360 × 360 × 72 pulsações.
360 × 360 × 1 respiração igual a 1 ano.
360 × 360 × 72 pulsações.
360 × 360 × 72 respirações igual a 72 anos.
360 × 360 × 72 × 72 × 360 igual a 72 pulsações.
360 × 360 × 72 × 360 × 72 respirações, igual a uma precessão.

68. O quarto de dia restante para o ano completo daria os mesmos valores, como veremos depois.

Para representar o caráter dos valores cíclicos bastam as respirações dos 5 dias restantes.

1 dia igual a 360 × 72 respirações.
1 ano igual a 360 × (72 × 1) respirações.
72 anos $360^2 \times (72^2 \times 72)$ respirações.
1 precessão 36 [3 × (72^3 igual a 72^3)] respirações.

69. Em cada 72 anos esses cinco dias restantes formam exatamente um ano de 360 dias e temos, em 72 anos de 365 dias, 73 anos de 360 dias.

Então, temos: em 72 anos, ou 360 atos do círculo de precessão, translada-se o ponto primaveral do sol equinocial (0° de Áries) um grau no zodíaco e, precisamente esse grau é o caracterizado por 72 anos de 360 dias que cai sempre em cada 72 anos de 365 dias.

O número 72 é o símbolo da vida humana; o grau da precessão ou os 72 anos é o símbolo do homem segundo os hindus.

De maneira que:

1 dia igual a 25.920 respirações.
1 ano igual a 25.920 por 10 minutos duplos ou 360 respirações.
72 anos igual a 25.920 dias.
1 precessão igual a 25.920 anos.

70. O homem normal sente latejar o coração 72 vezes por minuto, ao passo que respira 18 vezes no mesmo tempo. Pulso e respiração estão na proporção de 1:4. E um minuto se acha na mesma relação dos valores da rotação diária da Terra; 360 graus necessitam de 1440 minutos; um grau, portanto, é igual a 4 minutos. Os valores do grau estão em proporção aos minutos como 1:4, como a proporção do pulso à respiração. Pode-se com isso comprovar a relação íntima e misteriosa entre os ritmos do homem e os ciclos cósmicos que se completam mutuamente. Quando um homem desobedece aos valores rítmicos, forçosamente tem de sofrer as consequências de sua desobediência.

71. Agora podemos continuar:

72 pulsações são iguais a um minuto.

72 × 360 pulsações são iguais a 360 minutos, iguais à quarta parte do dia que nos faltou para completar um ano.

1 quarto de dia (360) minutos × 72 igualam 18 dias, análogo à quantidade de respiração.

1 grau (4 minutos) corresponde a 72 respirações e temos:

72 pulsações (valor do minuto) = símbolo da Vida.

12 respirações (valor do grau) = símbolo da Vida.
72 anos = símbolo da vida.

72. Os antigos contavam por horas e minutos de dupla duração, e por isso o dia tinha apenas doze horas ou 720 minutos.

1 minuto duplo = 144 pulsações; o dia, 1440 minutos.
1 minuto duplo = 360 respirações; 1 dia = 360 graus.
1 grau = 72 respirações; 1 dia = 720 minutos duplos.
1 minuto = 72 pulsações; 1 dia = 720 minutos duplos.

A filosofia hindu media o tempo por *Tattvas*.

1 *tattva* igual a 432 respirações; 1 hora = 4.320 pulsações, o número sagrado de Blavatsky.
1 *tattva* igual a 6 graus, 1 dia, 60 *tattvas*.
1 *tattva* igual a 12 minutos duplos.
1 grau, 120 segundos duplos.

73. Os antigos filósofos hindus formaram suas cronologias com os dois fatores: 72 pulsações e 18 respirações do homem por minuto. Não nos cabe entrar aqui em minúcias, porém podemos resumir o seguinte:

Krita-Yuga,   4 × 72 = 288 graus.
Treta-Yuga,   3 × 72 = 216 graus.
Dvapara-Yuga, 2 × 72 = 144 graus.

Kali-Yuga, 72 graus.
288 é a pulsação em 4 minutos.
216 é o 120 avos (10 × 20 da pressão).
144 pulsações de um minuto duplo.
72 é o número-chave para todos os ciclos.

Vamos resumir:

1) | | | |
|---|---|---|
| 1 dia | = 360 × 72 | respirações |
| 1 ano | 360 × 360 × 72 | respirações |
| 72 anos | 360 × 360 × 72 × 72 | respirações |
| Precessão | 360 × 360 × 360 × 72 × 72 × 72 | respirações |

2) | | | |
|---|---|---|
| 1 dia | = 360 | graus |
| 1 ano | 360 × 360 | graus |
| 72 anos | 360 × 360 × 72 | graus |
| Precessão | 360 × 360 × 360 × 72 × 72 | graus |

3) | | | |
|---|---|---|
| 7 dias | = 360 × 4 | minutos |
| 1 ano | 360 × 360 × 4 | minutos |
| 72 anos | 360 × 360 × 72 x 4 | minutos |
| Precessão | 360 × 360 × 360 × 72 × 72 × 4 | minutos |

4) | | | |
|---|---|---|
| 1 dia | = 360 × 72 × 4 | pulsações |
| 1 ano | 360 × 360 × 72 × 4 | pulsações |
| 72 anos | 360 × 360 × 72 × 72 × 4 | pulsações |
| Precessão | 360 × 360 × 360 × 72 × 72 x 72 × 4 | pulsações |

O grau é a unidade; o minuto, o quádruplo, respiração são os 72 avos da unidade; pulsação é o quádruplo dos 72 avos.

74. O alento da vida chamado Prana manifesta-se em cinco elementos Tattvas cada um dos quais atua em uma parte do corpo humano, e são:

1º Prithivi — a *terra*, que influi dos pés aos joelhos.
2º Apas — a *água*, que influi dos joelhos ao ânus.
3º Tejas — o *fogo*, que influi do ânus ao coração.
4º Vayu — o *ar*, que influi do coração ao entrecenho.
5º Akash — o *éter*, que influi do entrecenho ao alto da cabeça.

75. Esses cinco elementos relacionam-se com os cinco sentidos.

1º O *olfato* relaciona-se com o *sólido* (Terra)
2º O *paladar* relaciona-se com o *líquido* (Água)
3º A *visão* relaciona-se com o *gasoso* (Fogo)
4º O *tato* relaciona-se com o *aéreo* (Ar)
5º A *audição* relaciona-se com o *etérico* (Éter)

76. Cada hora de respiração está integrada por cinco ciclos durante os quais um desses elementos exerce sua influência:

1º A terra durante 20 minutos
2º A água durante 16 minutos
3º O fogo durante 12 minutos
4º O ar durante 8 minutos

77. Durante cada ciclo respiratório, nossas correspondências orgânicas e mentais vibram segundo o impulso da classe de energias que prevalece nesse tempo e determinam um estado de ânimo correspondente:

1º O éter faz-nos emotivos (inspirados)
2º O fogo faz-nos ardentes e fogosos (apaixonados)
3º O ar nos torna inquietos (impetuosos)
4º A água nos faz dóceis (ternos)
5º A terra faz-nos egoístas (ambiciosos)

78. A cada hora flui a respiração por uma fossa nasal, formando doze ciclos de duas horas, (uma positiva e outra negativa), que correspondem ao passo de cada signo do zodíaco pelo meridiano que habitamos. Se conhecermos o instante em que nosso meridiano ocupa cada signo, podemos saber o elemento que rege nossa respiração e a parte do corpo que atinge. Uma tábua da hora sideral e do signo que ocupa o meridiano permite ao aspirante fazer exercícios respiratórios para ativar as funções que lhe interessam.

O Sol, durante 12 horas do dia, atua positivamente na respiração, dando-nos o positivo; a Lua, durante as 12 horas da noite emite eflúvios negativos do signo em que está.

79. O Iniciado não é um ser desocupado e preguiçoso, e não pode dedicar todo o seu dia estudando as tábuas dos signos e horas siderais para praticar exercícios. O Iniciado é um ser que domina as estrelas por meio de seus pensamentos positivos e absorve, à vontade, as energias atômicas de que necessita a cada instante e em qualquer lugar.

Formou, pois, o Senhor Deus o homem do barro da terra e soprou-lhe nas narinas o sopro de vida e foi feito o homem de alma vivente. O sopro de vida que animou Adão foi-lhe dado pelas narinas, isto é, no ato de respirar. O homem aspira o sopro de Deus.

O ar que respiramos está cheio de átomos negativos e positivos criados por nossos pensamentos desde a formação do mundo, e, ao sermos desprovidos, pela classe de nossos pensamentos, de uma classe deles, a outra chega a nossos pulmões com excesso de potencial em uma de suas fases. O excesso será negativo ou positivo conforme o pensamento e segundo a narina por onde penetre. O sangue impregna-se desse potencial e distribui por todo o organismo, ocasionando as seguintes reações.

Cada respiração purifica dois litros de sangue ou 800 litros por hora e mais de 20.000 litros por dia.

Conforme for o pensamento, impregna esse caudaloso fluxo de sangue, células, glândulas, neurônios, centros psíquicos etc. Modela nosso ser físico, mental e espiritual e faz-nos sentir, pensar e agir segundo a vontade dos átomos atraídos pela classe dos pensamentos concebidos durante a respiração.

80. A respiração simultânea é a que flui por ambas as fossas nasais ao mesmo tempo. No homem normal ocorre nos períodos em que se muda o fluxo, uns cinco minutos. Durante esse período trabalham os dois nervos e estão ativos simultaneamente o Pingala e o Ida (o direito e o esquerdo) o que ocasiona o trabalho de Sushumna (o médio ou central).

Durante a respiração simultânea equilibra-se o poder do homem, mas também ocorre o deslocamento do maior esforço. Assim, os arrebatamentos de paixão, os atos impulsivos, os grandes feitos etc. são executados durante a respiração simultânea; porém, imediatamente depois de a fossa nasal direita ter estado ativa. Ao contrário, os atos de rancor, o desfreio da inveja e baixas paixões também acontecem durante essa respiração, porém depois de a fossa nasal esquerda ter estado ativa.

81. "Vigiai e orai para não entrardes em tentação" disse Jesus. Em todos os casos, o fluxo simultâneo intensifica a emoção predominante e induz a pessoa a perder o domínio das faculdades. Ela sente, pensa e age de modo mais violento que durante o fluxo de uma das fossas nasais. Quando o homem vela e ora, mantém seus pensamentos sempre puros, regula a distribuição do Prana ou sopro vital nos órgãos da procriação física ou intelectual, fazendo-o descer, algumas vezes, ao centro sexual e, outras, subir ao Plexo Solar e cérebro de acordo com a ideia que predomina em cada instante. Na respiração simultânea, a Serpente de Fogo vibra com maior força e dirige seu poder na direção onde o pensamento tem sua concentração. Essa direção de energia pode determinar:

1º A inspiração mental, se sobe ao cérebro.
2º A fúria sexual, se baixa aos órgãos sexuais.
3º A potência física, se acumula no plexo solar.

82. Essa respiração no homem comum ocasiona o excesso que o conduz a extremos perigosos; porém no Iniciado, no mundo interno, produz o equilíbrio da Lei.

O Iniciado que sempre busca o equilíbrio, pelo amor impessoal, pelo sacrifício, respira, durante a maior parte de sua vida, a respiração simultânea para maior eficácia e melhor cumprimento da Lei.

83. O alento, origem da vida, manifesta-se em cinco princípios elementais, conhecidos pela filosofia yogue como *Tattvas*. Esses Tattvas são forças naturais, sutis, que podemos considerar como modificações na vibração do éter.

Cada uma dessas modificações atua em um dos cinco sentidos do homem. Assim, o Sol corresponde ao *Tattva Tejas* ou fogo, e influi nos olhos e na visão; a Lua influi em *Apas*, água que se aplica ao gosto: e assim cada planeta tem sua influência em cada tattva. *Prithvi*, a terra, rege o tato; *Akash*, éter, o ouvido; *Vayu*, o ar, o tato e a linguagem.

Dizem os Upanishads: "O universo é originado pelos Tattvas, sustido pelos Tattvas e nos Tattvas se dissolve." Nós podemos dizer que: o homem é filho dos seus sentidos; pelos sentidos vive; pelos sentidos sustém-se e por eles morre.

Esses Tattvas são como princípios cósmicos energéticos e vitais; enquanto produzem matéria, animam-na com suas energias. Refletem, nos sentidos, com as diferentes funções orgânicas e regulam as manifestações em todos os aspectos.

84. O tato pertence ao corpo físico; o paladar, aos instintos; o olfato, ao corpo de desejos; a audição, ao mental e a visão, à vontade.

Os cinco sentidos são as expressões do quinário com as cinco funções vegetativas (respiração, digestão, circulação, excreção e reprodução). O quinário é o número que preside a todas as manifestações da vida animal do homem sob o domínio do *Eu Sou*.

85. Os sentidos são as janelas do Templo do Corpo; levam a luz do mundo extremo; mas, também, o homem recebe a luz interna e, por meio deles, pode atuar sobre o mundo externo.

O Iniciado transforma essas cinco cadeias que o ligam ao poder da fusão em úteis instrumentos do *Eu*. Os cinco sentidos e nossa mente estão construídos com material recebido do exterior, assim como das reações internas.

86. Os cinco sentidos são os cinco talentos de que falou Jesus no capítulo 25 do Evangelho de S. Mateus e no capítulo 19 de S. Lucas.

Todo homem que possui os cinco sentidos está obrigado a trabalhá-los e duplicá-los. Um sentido bem-educado dá um talento interno e dessa maneira os cinco talentos duplicam-se com o justo uso para dar conta ao Senhor, em seu regresso, na segunda vinda.

87. Já dissemos que o Alento é o criador dos cinco sentidos. Uma de suas vibrações desenvolve a visão.

A visão é o primeiro sentido a que se deve dar mais importância. O Iniciado deve praticar e aspirar a ver a Luz Interna da Verdade, emanada do *Eu Sou* para dirigir, segundo essa luz, todos os pensamentos e construções mentais, e, segundo se modifica a visão interior das coisas, também se modifica em correspondência com a visão interna.

Jesus disse: "A lâmpada do corpo é o olho [interno, a glândula pineal]; de modo que, se teu olho for sincero todo teu corpo será luminoso; mas, se teu olho for mau, todo teu corpo será tenebroso. Assim, se a luz que em ti há são trevas, quanto serão as mesmas trevas?".

Essa é uma verdade. A visão interna é a faculdade imaginativa do homem, que é sua fé operadora de milagre.

O que vemos influi em nossa mente, e nossa imaginação contribui para fazermos o que somos. Tal qual pensa o homem em seu coração, assim ele será.

Por sua vez, o que somos, sentimos e pensarmos de nós mesmos modifica nossa visão interna e externa. Felicidade, desgraça, beleza, lealdade etc., estão dentro do nosso sentir Interno; por essa razão, duas pessoas distintas, ante as mesmas coisas ou circunstâncias, as verão de maneira distinta.

O Iniciado deve adquirir a visão exterior e interior em todos os seus feitos. No mundo exterior deve olhar e contemplar tudo o que possa elevar-lhe o espírito aos mundos superiores; motivos não faltam, por exemplo, pinturas, prados, flores, quanto nos oferece a mãe natureza de belo; no mundo interno, deve visualizar todo o positivo, todo o construtivo para manter sempre luminoso o olho interno a fim de iluminar a senda de si mesmo e dos demais.

Uma visualização baixa e densa obscurece o alho interno ou a glândula pineal; nunca devemos interpretar mal o que vemos no próximo.

Toda atividade externa é a expressão da visão interna. Toda realização foi revelada pela visão íntima. As trevas externas existem para o homem na medida em que sua visualização interna se acha limitada pelos erros que possui das coisas.

A visualização positiva é o centro do Poder nas mãos do Iniciado; todo limite exterior desaparece ante a visão perfeita que nos conduz ao progresso.

A visão interna positiva desenvolve-se pela aspiração ao belo, aquela aspiração que nos dá o domínio absoluto das emoções que produz a visão das coisas raras e inesperadas.

Essa prática desenvolve, de modo surpreendente, a vontade.

A visão positiva nos depara a ocasião de receber o primeiro talento da consciência interna e perfeita das coisas.

Com ela, o homem recebe acréscimos de energias que, mais tarde, o impulsionarão a ser mais ativo e lhe dará maior grau de força produtiva.

Tal força movimenta-lhe as faculdades intelectuais e absoluta confiança em si mesmo e até os olhos físicos funcionarão melhor.

Essa é a ciência da contemplação, porém temos de contemplar sempre o belo até no feio; nunca, entretanto, se deve contemplar o feio. De acordo com a beleza interior da nossa mente, podemos encontrar o grau de beleza nas coisas. A mente maligna jamais pode achar algo bom, nem nas coisas nem nos homens.

88. O segundo talento é a audição: o homem determina o que pensa e crê pelo que ouve. O ouvido é a base da fé e confiança em todas as suas manifestações.

Segundo o que vê, o homem sabe e, segundo o que ouve, conhece; porém o melhor conhecimento é o que nos advém da voz interior que sempre nos fala e, conforme escutamos, dirige o curso dos nossos pensamentos, determinações, palavras e obras.

A Voz Interior, tal qual a Visão, nos grita a cada instante para livrar-nos da queda.

O Anjo da espada que se acha à porta do Éden, examina por meio do ouvido a qualidade das vibrações das palavras que tentam entrar em nossa consciência e só admite as palavras positivas e construtoras que vibram em harmonia com o Verbo Divino.

O Iniciado deve sempre tratar de ouvir o sublime, o belo de todas as artes, até chegar a possuir o sentido esotérico no ser psicológico e no centro intelectual. Tudo fala aos sentidos para formar e embelezar o intelecto, considerado como o segundo talento.

Nunca se deve ouvir a injúria, a calúnia, a vituperação, a crítica e tudo o que pode ferir a natureza humana.

Temos sempre de aspirar e concentrar na Voz Interior ou Voz do Silêncio, chamada assim porque silencia os sentidos e nos comunica o saber do Íntimo, nesse estado.

89. A visão nos dá a consciência da verdade que desenvolve nossa vontade; o ouvido outorga-nos a fé; o tato revela-nos o Amor. As mãos são os mensageiros da mente; devem ter apurado tato tanto material, quanto moral para não ferirem.

Diz o refrão: devemos agir com tato. Agir com tato é coisa relevante, pois de nosso tato depende o êxito ou malogro; porque agir com tato é agir com prudência, com talento, e, consequentemente, com amor, que é o terceiro talento dado pelo Íntimo ao homem.

Porém, o amor deve ser impessoal; por isso disse Jesus que tua mão esquerda não saiba o que faz tua direita; quer dizer, amor puro, desinteressado e sem esperança de recompensa.

90. O quarto talento pertence ao paladar. O paladar é o guarda-templo ou o sentido que representa o Anjo da guarda.

Assim como o homem por meio da inteligência deve escolher os alimentos saudáveis para manter o corpo, assim deve o Iniciado buscar o paladar espiritual da individualidade. Homem de gosto é o homem que transcendeu o vulgar para adquirir o requinte do superior, do elevado, para reprimir os instintos que, se não domados a tempo, serão obstáculos aos esforços do aspirante. Não se deve esquecer que o paladar é o único sentido que tem relação com o centro instintivo.

O quinto talento é o Olfato, que representa o segundo anjo, porque tem muita relação com o paladar; é o guardião externo do templo do corpo.

No olfato está baseada a ciência da respiração, cuja influência está comprovada sobre a parte mais sutil e delicada do nosso ser: o sistema nervoso simpático e a inteligência.

O Iniciado deve purificar seu ambiente mental para poder respirar os átomos puros que têm relação íntima com o pensamento.

Dessa maneira pode introduzir em seu corpo o ar mais puro dos Tattvas anteriormente indicados.

O homem deve desprender cheiro de santidade. Esta frase não é alegórica nem poética; é uma verdade, porque o homem santo emana realmente um cheiro agradável que, embora não percebido pelo sentido físico do olfato, é muito penetrante para o sentido psíquico.

Uma vez dominados os sentidos segundo essas práticas, pode o homem devolver ao seu íntimo os cinco talentos duplicados, e o Íntimo Senhor e Dono lhe diz: "Bom servo; foste fiel no pouco; dar-te-ei muito; entra no gozo do teu Senhor", isto é, sê um comigo.

4. O senário e a unidade

91. A estrela Microcósmica, símbolo do homem, é o caminho do Microcosmo que leva à estrela Macrocósmica, composta de dois triângulos entrelaçados, formados pela ação dos cinco pontos da primeira.

O senário é a encruzilhada do caminho: um trilho vai para a direita, o outro para a esquerda.

Os cinco sentidos do homem, bem-educados e bem-aplicados, conduzem ao Centro, morada da inteligência, à intuição do coração.

92. Os cinco sentidos são os cinco graus que nos levam à União, por meio da inteligência ao Íntimo.

O primeiro grau corresponde à terra, mundo dos instintos em cujo seio se acha oculta a Realidade das coisas, que se esconde sob a forma e corresponde à reflexão perseverante.

O segundo é o ar, que representa o mundo mental com seus erros e correntes contrárias, onde o Iniciado deve permanecer, firme em sua fé espiritual como a rocha contra o embate do mar. Esse grau corresponde à firmeza equilibradora. Obtém-se pelo domínio do tato.

O terceiro é a água, o mundo de desejos, o mundo

astral onde o Iniciado deve dominar e acalmar o mar de suas paixões, sempre enfurecido no ventre e no fígado. Sempre deve manter-se sereno como o guerreiro valente em meio da luta.

Com o domínio do paladar adquire serenidade.

O quarto é o fogo das aspirações que se traduz pelo entusiasmo que livra o homem da fria indiferença e do ardor da febre. Com o domínio da visão; chega-se a esse estado.

O quinto é o éter, condutor das vibrações do Verbo que é *LUZ*. Quando entra pelo ouvido interno, provoca em nós a faculdade do discernimento.

93. Com a Iniciação interior, torna-se o homem fulgente estrela, verdadeiro filho de Deus feito carne, porque dominou seus cinco sentidos. Tem cinco pontas e representa o Poder soberano do Mago ante quem se inclinam os elementos da natureza.

94. Porém, dentro da estrela de cinco pontas, no coração, deve brotar novo elemento, nova entidade atômica e divina, que é o centro da Inteligência que quer criar por meio dos cinco sentidos: a Força Criadora.

95. Quando o homem dirige à cabeça, por meio de seus pensamentos, a Força Criadora, à maneira do número seis (6), imagem do arco evolutivo, une o ponto superior (símbolo da essência Divina) com o círculo da sua manifestação e também representa o esforço dessa manifestação para cima. Porém, quando o homem desce com seus pensamentos à inferioridade do seu ser, aos instintos e paixões para viver e deleitar-se aí, a Força Criadora o converte em monstro, em bode, símbolo da magia negra.

96. A estrela microcósmica de cinco pontas tem no centro a Força Criadora que completa o número 6. Essa força produz a involução, como o demonstra a Bíblia na queda do homem, e produz também a evolução quando devidamente usada, convertendo-se na Árvore da Vida. Segundo a vontade do homem e seus pensamentos, essa força conduz à degeneração ou à regeneração.

97. O Iniciado, por meio da vontade ou aspiração contínua e pelo pensamento, canaliza a força criadora para a nutrição de seus cinco sentidos, e dessa maneira chega a ser Um com Deus o Íntimo. Essa Energia leva a libertar-se da escravidão dos sentidos e paixões; é a escada simbólica de Jacó que vai da terra ao céu.

98. O senário ou o número 6 está simbolizado pelos dois triângulos entrelaçados ou Estrela Macrocósmica. Esse símbolo representa o bem e o mal. Conforme a vontade do homem, a Força Divina pode ser empregada para o bem ou para o mal. Quando essa força é utilizada para a harmonia, o triângulo é branco e luminoso, e quando é aproveitada para a desarmonia, o triângulo é negro.

99. O senário, então, significa a geração, que é o resultado dos dois triângulos entrelaçados. Na Cabala, o ar-

cano seis está simbolizado por um jovem entre duas mulheres, uma à direita e a outra à esquerda (o Homem entre a natureza divina e a terrestre), que deve escolher entre o caminho de uma que é virtude e o da outra que é vício. É o livre-arbítrio que atua nesse estado. Na direita está o mundo divino, o equilíbrio da vontade e a inteligência que leva à beleza. No humano, está o equilíbrio do poder e da autoridade que é o amor e a caridade e, não natural, é o equilíbrio da Alma Universal que conduz ao Amor Universal. Na esquerda há confusão, desarmonia e egoísmo.

100. No triângulo de vértice dirigido para cima, temos no corpo: Deus Pai, Deus Filho e Deus Espírito Santo; no triângulo de vértice dirigido para baixo, temos: Inteligência, Beleza e Vontade.

Com respeito ao humano, temos, no primeiro: Adão, Eva e Humanidade, e no segundo, Autoridade, Amor e Poder.

101. Pode-se inferir disso que a Força Criadora é a Mãe Geradora da Natureza ou a geração universal das coisas: da força genital vem a palavra gênio ou super-homem, gênese, geração etc. O homem deve ser um Gênio ou Super-homem para aspirar, saber e poder concentrar a Força Criadora no cérebro, onde pode sentir a União com o Íntimo.

102. Assim como Jesus, no deserto da matéria física, foi tentado (o que explica o símbolo sexto da Cabala), assim deve o Iniciado sofrer a tentação da Força Criadora em seus cinco sentidos. A mulher da esquerda convida-o a gratificá-los com o prazer e a moleza, ao passo que a da direita o chama ao cumprimento do dever e da virtude. Na eleição entre as duas sendas baseia-se a evolução ou a queda, o poder ou a debilidade.

103. A Energia Criadora é a ponte entre o homem e o Íntimo. Quando, por meio da aspiração, respiração e meditação voluntária, se canaliza essa energia para o tato, chega o homem a dimanar do seu corpo um poder salutar capaz de curar, instantaneamente, qualquer dor física ou sofrimento moral. Seu corpo converte-se em fonte de saúde, bem-estar, tranquilidade e paz para os necessitados e então diz-se com razão: esse homem tem tato.

Porém, nunca devemos confundir a palavra tato, que é juízo reto, com diplomacia ou hipocrisia, símbolo do engano e fraude.

104. Dirigida essa energia ao paladar, converte o homem num árbitro de beleza e harmonia. Seu hálito será o aroma que perfuma a vida; seu sopro acalma a ansiedade e a dor; seu fôlego quente anima, vivifica e, muitas vezes, ressuscita; sua palavra contém as vibrações da lei: harmonia e positividade.

Dirigida ao olfato, o homem aspira com maior força e absorve os átomos de luz e pureza. Esses átomos formam ao redor do corpo uma armadura etérea, cuja influência atua em todo o ser posto dentro de sua área. A aura do Iniciado emana um odor imperceptível ao sentido físico, mas absorvido pelo psíquico e que atua nos seres magicamente: cura suas enfermidades, ilumina-lhes a mente e até resolve seus problemas e dificuldades.

Concentrada na visão, essa energia relaciona o homem com o mundo divino, desenvolve nele a visão interna ou o olho interior, e poderá ver o passado escrito na parte inferior do corpo, o presente, no peito e o futuro, na cabeça, como toda a clareza e precisão. Então já não cometerá erros, ignorantemente, como aqueles cuja visão está enferma. Nesse estado, o homem converte-se em Lei e sua vontade será a execução da Lei. Seus olhos irradiarão amor, harmonia e poder.

Dirigida para o ouvido, ouvirá o homem, a cada instante, a voz do Íntimo, aquela voz silenciosa do pensador, proveniente da parte mais elevada de nosso ser, que nos livra de toda escravidão exterior.

105. Quando ascende a energia criadora pela coluna vertebral até chegar aos cinco sentidos, abre nela um oco, transformando-a como num tubo; nesse oco manifesta sua expressão o *Eu Sou Íntimo*, e por esse meio logra ter perfeita comunicação com todo o corpo, de cima abaixo e de baixo acima. Essa perfuração ajuda a evolução do homem e nela circula a selva da Árvore da Vida.

106. É a Iniciação interna que facilita a ascensão da Energia Criadora pela coluna vertebral do Iniciado, perfurando nela esse oco para dar livre acesso ao fogo, à luz e às vibrações cósmicas, princípios divinos que relacionam o homem com o Íntimo.

107. A Estrela de Seis Pontas, ou o Hexagrama, formada pelos dois triângulos entrelaçados, chama-se também "Selo de Salomão", e é o símbolo do Macrocosmos; enquanto que a Estrela de Cinco Pontas é o Microcosmos ou o homem, segundo os antigos filósofos.

Os dois triângulos da Estrela de Seis Pontas indicam também a força ascendente e descendente, o princípio masculino ativo e o feminino passivo.

O Hexagrama expressa o axioma hermético: "ASSIM EM CIMA COMO EMBAIXO". Os dois triângulos representam o mundo divino e o mundo material entrelaçados, enquanto que no centro da Estrela está o mundo interior, subjetivo, do homem, que é o veículo da manifestação de ambos.

108. O CUBO se relaciona com o número 6, pelas suas seis faces. O maçom deve formar da pedra bruta uma pedra cúbica ou pedra filosofal, isto é, desenvolver seus seis sentidos, para chegar à perfeição individual e converter-se em uma pedra perfeita a serviço da Obra do G∴ A∴ D∴ U∴.

109. O Templo Maçônico, além de representar o Universo, é uma representação do Templo da Vida Individual, que cada homem deve levantar em si mesmo para a Glória do G∴ A∴ D∴ U∴.

Platão disse: "Deus criou duas coisas à sua imagem e semelhança: o Universo e o Homem".

Por este motivo, toda nossa vida e atividade devem ser um esforço construtor e harmônico, para nos tornarmos cooperadores de Deus em sua Obra.

Em cada Templo-Corpo está o REINO DE DEUS, NO

CÉU DE NOSSO SER. A alegoria do TEMPLO-CORPO é antiquíssima; Jesus falava de seu TEMPLO-CORPO, e muitos entendiam que se tratava do Templo de Jerusalém, que Ele podia destruir e reedificar em três dias.

A vida em si mesma é uma obra de construção, que vivifica toda matéria bruta e inerte, para que coopere com a Inteligência consciente ou inconsciente.

O próprio Universo é uma obra imensa em construção, cujos obreiros trabalham sob as ordens do Grande Arquiteto.

Nosso corpo é uma arquitetura maravilhosa, com sua expressão orgânica em diferentes raças e ambientes; manifesta-se sob uma construção complexa, porém, de acordo com planos sábios e perfeitos.

110. OS INSTRUMENTOS DA CONSTRUÇÃO SÃO DOZE:

O MALHETE é a Fortaleza.
O CINZEL é a Determinação.
A RÉGUA é o Equilíbrio.
O COMPASSO é a Harmonia dos polos.
A ALAVANCA é a Potência e a Resistência.
O ESQUADRO é o TAU, é a Experiência e o Acerto.
O PRUMO é o Ideal realizador para o mundo.
O NÍVEL é o Esforço, a Superação e o Equilíbrio.
A TROLHA (Pá de Pedreiro) é o Serviço e a Caridade.
A ESPADA é o Poder do Verbo Criador.
A PRANCHA é o Saber.
A CORDA COM NÓS é o Laço de União com o Íntimo Deus Interior.

111. Estes doze instrumentos são as próprias faculdades do Espírito, como explicamos no Capítulo "O quaternário e a unidade". Eles representam as doze glândulas endócrinas internas. Cada uma delas tem que ser desenvolvida e vitalizada por meio de afirmações, pela aspiração e respiração, acompanhadas da meditação e da concentração. Nisto consiste o dever do Companheiro, que aspira ser Mestre ou Super-homem. Uma ciência sem ser exercitada é como um brilhante ou pérola no fundo do mar. (Reler, meditar e praticar o Capítulo 2).

112. As três janelas do Templo, abertas no Grau de Companheiro, por onde entra a Luz do Oriente, Ocidente e Meio-Dia, representam a Luz Interna que se manifesta por meio do desenvolvimento espiritual, psíquico e mental.

A Luz do Oriente é a da Realidade, que governa as Leis do Universo; a do Ocidente é o reflexo da primeira na matéria; a do Meio-Dia é a do mundo interior do homem e da sua Inteligência, consciente daquela Luz.

São três experiências nos três mundos: Mundo Divino ou Realidade Transcendente; Mundo Interior ou Realidade Subjetiva e Mundo Exterior ou Realidade Objetiva.

EU SOU A LUZ DO MUNDO E DE TODO HOMEM QUE VEM A ESTE MUNDO.

5. A magia do verbo ou o poder das letras que deve aprender e praticar o companheiro

No Princípio era o Verbo, e o Verbo estava com Deus, e o Verbo era Deus.

S. João, 1:1

113. Pitágoras disse: "Deus geometriza". Também se pode acrescentar: "por meio do Som". De acordo com essa teoria, pode-se deduzir que os sons estão determinados pelos princípios absolutos da matemática.

Os sábios da antiguidade serviram-se dessa música geométrica para explicar sua concepção cósmica, aquela teoria que esclareceu a geração dos intervalos e modos por meio da relação das distâncias harmônicas que existem entre os planetas.

Segundo essa teoria, o DÓ-RÉ corresponde à distância da Terra a Lua; RÉ-MI, à da Lua a Vênus; MI-FA, à de Vênus a Mercúrio, e assim com as demais notas e planetas.

114. O movimento de cada planeta produz uma nota correspondente à posição que ocupa o astro, e Pitágoras denominou estes sons "música das esferas". Essa música, com seus sons, regula e reanima as manifestações da vida de cada mundo.

115. Cada corpo vibra e, de acordo com o número de ondas emitidas por segundo, indica a classe de som que produz ao vibrar.

116. A Ciência obteve a Escala de Vibrações e comprovou que seus valores vão de 0 a 16.000.000 ciclos por segundo. Nosso órgão auditivo pode perceber somente de 16 a 32.000 ciclos, e o mesmo acontece com os sons, e, igualmente, com as cores. Temos supersons, assim como infrassons, que não excitam nosso ouvido; a ultravioleta e o infravermelho não afetam nosso órgão visual.

117. Todos os sons, audíveis ou não a nosso ouvido nu, provocam reações que, ao se repetirem, irão, com o tempo, modelando nossa personalidade e nos sugestionando para sentirmos e pensarmos de acordo com a índole dos sons. Uma marcha fúnebre nos entristece; uma marcha guerreira provoca e excita o ânimo. Isso demonstra e foi comprovado que o som afeta, provoca e ativa determinadas reações químicas, e exerce uma influência em nosso organismo, que modula as características de nossa personalidade.

118. Todos os corpos são sensíveis às vibrações sonoras, com a diferença de que cada um tem sua própria frequência vibratória, e nem todas as frequências são audíveis para o ouvido humano.

Há infinidades de corpos que emitem sons que nosso ouvido não percebe. Agora bem, se passamos o arco sobre uma corda vibrante de violino, esta produz uma vibração, que é proporcional à sua longitude, e será tanto mais baixa ou mais alta quanto maior for o número de vibrações que emite por segundo, e serão mais agradáveis ao ouvido os seus sons se forem mais variados. Os acordes, que acompanham a nota fundamental, são os que proporcionam maior riqueza de sons.

119. Todos os corpos são sensíveis às vibrações sonoras, e todos têm capacidade para gerá-las e ser afetados por elas. Se passamos o arco de violino na borda de um copo, isso produz um som, e podemos reduzi-lo, despejando-se água dentro do copo, e melhor do que a água é o álcool ou éter. Se em tais condições passamos novamente o arco na borda, além de produzir um som que corresponde ao espaço vazio do copo, se formará no líquido uma série de gotas que saltam e formam uma espécie de estrela.

120. Pegue uma placa de cristal, sustentada sobre um cone de cortiça, de maneira que suas extremidades fiquem no ar; cubra a placa com pó de licopódio ou areia muito fina, e passe o arco de violino por um de seus lados. O som resultante, ou a ressonância, fará com que a areia forme uma estrela parecida com a produzida no copo com água.

121. Tapando-se a parte superior de um recipiente com uma pele de tambor, ou com uma placa de borracha, e colocando-se um dispositivo em forma de funil que comunique com o seu interior, teremos um instrumento admirável para a ressonância. Ao espargir sobre a borracha uma finíssima camada de areia, e ao emitir um som, colocando-se a boca perto do funil, a areia formará uma série de figuras ou desenhos interessantes.

Ao substituir a areia por pó de licopódio e um pouco de *glicerina*, e ao emitir o nome próprio sobre a boca do funil, a voz formará um quadro que retrata graficamente o conjunto dos sons emitidos.

E mais: cada letra do alfabeto forma, ao ser vocalizada, um conjunto diferente da outra e de acordo com o tom da voz que a pronuncia. Tudo isso justifica cientificamente a influência do som sobre a matéria.

122. O Dr. Knudsen, da Universidade da Califórnia, dispondo de uma câmara subterrânea e de aparelhos de física adequados à geração de frequências mais baixas e mais altas, obteve uma grande série de fenômenos, entre os quais:

a) Atacado um recipiente de água com certas frequências, obteve sua ebulição, sem produzir calor.

b) Colocada uma vara metálica fina no interior de um circuito, e atacado este com certas frequências ultrassônicas, não acusará aumento de temperatura se lhe aproximamos um termômetro, mas produzirá uma queimadura intensa se a tocamos com o dedo.

c) Com a mesma frequência, e por determinados

sons, o azeite, que flutua sobre a água, se converte em um líquido homogêneo com a água.

d) Sem aumentar a temperatura de um ovo, pode-se transformá-lo em estado de cozido, e assim, é possível conservá-lo fresco durante alguns meses. O mesmo ocorre com as frutas.

e) Determinadas bactérias, que resistem ao calor e ao frio intensos, morrem rapidamente ao ser submetidas a certas frequências ultrassonoras.

f) As sementes de algumas plantas aceleram o processo de germinação e maturação, ao serem submetidas a determinadas frequências vibratórias.

g) O ultrassom, em química, atua na fécula, decompondo-a em dextrina e em diversos vegetais que são convertidos em acetileno.

123. De todo o exposto se deduz:

Todo corpo tem a propriedade de gerar e reproduzir frequências que se harmonizam com seu próprio sistema vibratório.
Todo som atua com suas vibrações sobre os demais corpos.
Que o som afeta o ordenamento molecular.
Que influi nos processos físico-químicos.
Que modela formas geométricas.
Que provoca fenômenos de atração e repulsão.
Que influi na coesão orgânica da matéria.

124. Pode-se imaginar ou considerar o sistema planetário como uma gigantesca cítara, e cada planeta emite, em sua posição, uma nota correspondente ao setor que ocupa na longitude de sua corda; dessa maneira podemos imaginar o que Pitágoras denominou "Música das Esferas". Essa Música, além de exercer influência sobre a matéria, como temos visto, exerce também uma influência nas correspondências físicas e mentais do ser humano.

125. O ser humano é composto de 200 quintilhões de células, cada uma com seu citoplasma e núcleo correspondente. Cada célula é um circuito que ressoa, e todos os 200 quintilhões de indivíduos, com todas as frequências oscilatórias, obedecem e determinam suas reações pelo princípio do pensamento — vibração.

126. Em cada ser há mente, e uma mente em cada célula ou partícula. Cada mente cumpre uma finalidade distinta através das funções próprias do seu organismo; mas, os 200 quintilhões de mentes que constituem a unidade do nosso ser obedecem todos a uma só e mesma inteligência, e vibram todos ao som de nosso Verbo.

127. Os Sábios da antiguidade estabeleceram uma relação entre a cabeça do homem e seus atributos, a que dá lugar à atividade de sua massa encefálica em cada setor com os doze signos zodiacais. É suposto que cada setor esteja formado por células cujos ressonadores tenham a capacidade que corresponde à ressonância de cada signo; entretanto, o homem de vontade e saber pode produzir nos setores de sua própria cabeça a ressonância desejada, por meio do Verbo.

Os antigos atribuíram a cada signo e setor, compreendido na cabeça, certos atributos que são:

1. ÁRIES: entre o meio da cabeça e a cúspide da fronte. Esta região é o centro de Esperança e Fé.
2. TOURO: da cúspide até a parte média da fronte: Inspiração e Amizade.
3. GÊMEOS: da parte média da fronte até a parte superior do nariz: Visualização e Atenção.
4. CÂNCER: da parte superior do nariz até o lábio: Proteção e Integridade.
5. LEÃO: do lábio até a parte inferior do queixo: Liberdade e Determinação.
6. VIRGEM: da parte inferior do queixo até a parte inferior da glote (laringe): Expressão e Comunhão.
7. LIBRA: da glote até a extremidade superior das escápulas: Estabilidade e Contemplação.
8. ESCORPIÃO: das escápulas até a parte superior da nuca: Paixão e Sensualidade.
9. SAGITÁRIO: da parte superior da nuca até a metade da região anterior da cabeça: Inspiração e Conhecimento.
10. CAPRICÓRNIO: da região anterior da cabeça até a metade da região superior da cabeça: Defesa e Agressividade.

11. AQUÁRIO: da metade da região superior da cabeça ao alto da cabeça: Intelecto e Controle.
12. PEIXES: do alto da cabeça até o meio da cabeça: Devoção e Reverência.

128. Existe uma lenda que afirma ter havido um tempo em que o homem possuía uma palavra mágica que, ao pronunciar-se, adquiria o poder de realizar fenômenos maravilhosos, tais como ficar invisível, obter um tapete mágico para transportar-se a lugares longínquos, dar saúde, multiplicar suas forças, conhecer o oculto e o manifestado, e obter tudo que o coração desejasse. Porém, o homem de hoje esqueceu a maneira de pronunciar essa palavra, desde o momento em que sua cobiça o fez esquecer-se do bom uso que tal poder lhe concedia. Chama-se hoje "PALAVRA PERDIDA".

129. Entretanto, existem, até hoje, seres humanos que dominam as serpentes por meio de um assobio ou de uma música, como há outros seres que, com seu canto, dominam as feras selvagens; outros, por meio da palavra, curam os enfermos e ajudam os desanimados.

Isso nos demonstra que aquela lenda, ou contos das "Mil e Uma Noites", era uma verdade, e que o poder daquela Palavra não foi totalmente perdido. Porém, cabe perguntar: o que há no fundo do homem que pode ser despertado por meio da palavra, e que, uma vez despertado, lhe comunica um poder ingente, de que não dispõe em seu estado normal?

130. Temos assistido a sessões de hipnotismo científico e constatamos o poder da catalepsia, em cujo estado o braço do hipnotizado suporta o peso de dois homens pendurados nele.

E o sonâmbulo que executa certos atos que lhe são impossíveis durante a vigília?

"No Princípio era o Verbo" disse São João; está perfeitamente verificado que o Verbo, por virtude da ressonância universal, tem a propriedade de despertar o que está latente no ser, e que, ao serem emitidos, os seus sons entram em vibrações por ressonância também e despertam os poderes ocultos no fundo de nossa consciência. Essa é a magia do Verbo, por intermédio da qual foram feitas todas as coisas.

Acrescentaremos que cada letra corresponde a uma nota musical e a uma determinada cor, e que, por esse motivo, o Arqueômetro vem a ser um instrumento que tem a particularidade de servir, igualmente, a todas as artes. É, ao mesmo tempo, a chave da escala sonométrica do músico, a gama das cores do pintor e a diretriz das formas arquitetônicas.

Em resumo: os números das três letras constitutivas significam: A Divindade.

Os números das doze letras involutivas expressam: A Vida Absoluta. Os das sete evolutivas: Condicionalidade Divina, o dom da vida e as condições desse dom.

131. O Céu fala, e o homem fala, mas o Verbo do Homem-Deus cria por sua energia vibratória.

Cada letra pronunciada vibra dentro e fora de cada um de nós. Cada um de nós é um Logos, que pode manifestar sua força, criando seu próprio ambiente. O Logos é um som potencial latente, insonoro, mas pode manifestar-se como som audível.

Cada letra é uma força; da combinação dessas letras é gerada a ação que arrasta a um fim diferente.

Pronunciar o nome de um ser é atrair este ser por meio da evocação.

Cada palavra deve ser lançada por um pensamento, porque o Logos é o pensamento e a palavra unidos.

132. As vogais IEUOA são eternas, porque foram pronunciadas e serão pronunciadas da mesma forma; unidas às suas consoantes, formam todas as palavras de todos os idiomas; existem mais duas vogais que são muito difíceis de pronunciar; quando o homem chegar a desenvolver os dois sentidos, ainda latentes em si, poderá então pronunciá-las.

O homem atual tem cinco sentidos e somente cinco vogais em seu alfabeto comum. O Iniciado, que desenvolveu o seu sexto sentido e rompeu o sexto selo, pode pronunciar a sexta vogal.

133. Devemos dar conta do nosso íntimo pela palavra inútil que pronunciamos, porque o som da palavra percorre primeiro todo o nosso organismo, para estampar nele suas más ou boas vibrações, antes de sair ao espaço e invadir a criação.

Para convencer-se do exposto, pode-se comprovar o fato por meio de um telefone, e a prova consiste no seguinte: duas pessoas que falem a distância, pelo telefone, em vez de colocar o fone diante da boca, para falar, podem, colocá-lo no peito; dessa maneira, a voz chegará muito mais nítida a outra pessoa, do que chegaria diretamente, pela maneira habitual. As canções, dessa forma, chegarão mais nítidas.

Isso nos demonstra que a palavra produz seu efeito vibratório em quem a emite, antes de ser lançada ao universo.

Disse M. Cristian: "Pronunciar uma palavra é evocar um pensamento, e torná-lo presente; o poder magnético da palavra humana é o começo de todas as manifestações no mundo oculto. Dar um nome não é tão somente definir um ser, senão entregar seu destino, pela emissão da palavra, a uma ou mais potências ocultas".

Agora enumeremos as letras que deve estudar e praticar o Companheiro:

O.U. (6)

134. Todas as vogais pronunciadas representam um esforço pela insuflação. Se esse esforço é feito com uma vontade inteligente, será uma projeção de fluido ou de luz humana ou magnetismo. Este magnetismo é o instrumento da vida.

Simboliza a causa operante que dirige nossas determinações. Representa o princípio do Verbo em cada ser. Está associado ao Planeta Vênus.

A nota musical da letra "O" é DÓ, e a de "U" é RÉ; sustenido e MI bemol. Suas cores são azul e verde, associadas também aos processos da geração, às emanações do corpo astral do ser humano e à ciência cabalística. É o conhecimento do bem e do mal.

Essa letra é a imagem do mistério mais profundo, a imagem do ponto que separa o ser do não ser.

"O" representa o signo de Touro no Zodíaco.

No Plano Espiritual representa o conhecimento instintivo da transcendência dos atos, do bom e do mau.

O homem ou o Mago do Tarô está de pé, na encruzilhada do caminho, entre duas mulheres, que representam a necessidade e a liberdade, o vício e a virtude.

No Plano Mental, representa o dever e o direito. Inspira as ideias que nos determinam a escolher, em cada caso, segundo a lição que cabe a nós aprender.

No Plano Físico, é a determinação de conduta, a abstenção das inclinações do apetite, ou do desfruto de gozo.

Promete privilégios nas relações amorosas, obtenção de coisas materiais, posse do que se procura, e, ardentes desejos que se cumprem.

"O" repercute no coração e cura suas enfermidades. Tem os seguintes significados:

No Divino: Equilíbrio entre a Vontade e a Inteligência; Beleza.

No Humano: Equilíbrio entre o Poder e a Autoridade; Amor.

No Natural: Equilíbrio entre a Alma Universal e a Vida Universal: Atração Universal.

"O" é a letra da realização; concede mentalidade desperta, favorece os acontecimentos prazerosos e dá poder para convencer.

Exercício:

Fazer a respiração já ensinada no 1º Grau. Juntar as mãos com as palmas sobre o coração. Sempre pensar que o alento da vida penetra, ao inspirar e que, ao expirar, vai ao coração, ao vocalizar: OOOOOO.

"U" tem o mesmo poder do "O", porém, de uma maneira expressiva.

"O" é a letra da realização interna; "U" é o da realização externa. "U" é um "A" invertido. "A" se vocaliza com a boca bem aberta; o "U", com a boca quase fechada.

"AU" é a combinação do mantra "AUM". A pronúncia desta palavra sagrada varia conforme o caso: é "AUM" Trindade, é "OOO MMMM" Dualidade, e é "OM" Unidade.

"U" cura as enfermidades do estômago e intestinos. O exercício é o mesmo, só que as mãos devem estar sobre o ventre, e a vocalização é: UUUU EEEE IIII AAAA OOO UUUU.

Em magia, representa e outorga a beleza austera da virtude. Com esse poder, o Aspirante avança sempre, sem vacilar, e seu lema é: "DESPRENDER DA VONTADE TODO O SERVILISMO, E EXERCER O DOMÍNIO SOBRE ELA."

Z (7)

135. "Z" expressa, hieroglificamente, a espada flamejante e a flecha. Simboliza a arma que ajuda o homem a adquirir o poder, e o propósito que permite sua realização. Representa a luz astral, o que emana e mana, o que é, em si mesmo, difusão luminosa, que dá claridade e calor. É a ideia e o fato.

"Z" tem muitos poderes, mas sua pronúncia deve ser como soa em francês e não como "C" em espanhol. Está associada ao planeta Netuno, ao signo Zodiacal Gêmeos, à nota musical SI, à cor azul prateada, ao sentido do olfato, e à astrologia mística. É a força operante, no ato de operar, o espírito feito forma. Representa o tempo e o espaço. É veneração, fortuna, integridade. Seu poder outorga:

1º A retidão no propósito;
2º Tolerância no opinar;
3º Inteligência para julgar;
5º Verdade no falar;
6º Graça para expressar-se;
7º Paz no coração.

No Plano Espiritual, representa o domínio do espírito sobre a matéria, o conhecimento dos sete princípios que dirigem os atos criadores, e a posse das sete virtudes necessárias ao domínio de nós próprios.

No Plano Mental, representa a certeza no saber, no obrar e a vitalização do nosso ser, por meio do magnetismo mental.

No Plano Físico, representa o desejo de superação. Promete poder magnético, compreensão acertada, e conquista do desejado. Sua prática anuncia justiça, satisfações e honras.

Significado Divino: É o homem como função do criador; o Pai, o Realizador.

No HUMANISMO: É a Lei, a realização.

No Material: É a Natureza como função de Adão.

Tem-se dito que "Z" é a letra da vitória, mas é também a da força sexual no homem; dá o triunfo. É o selo universal e a força que abre caminho, com raiz, representado pelo "Z".

Exercício:

Ajoelhar-se; o tronco reto, as mãos estendidas ao nível dos ombros; dessa maneira se forma a letra "Z".

Inspirar, reter e expirar vocalizando:

ZA — outorga emoções.
ZE — outorga utilidades inesperadas.
ZI — outorga fervor nos sentimentos.
ZO — outorga confiança em si e nos demais.
ZU — outorga iluminação interna.

Depois desses exercícios, fique de pé e, em seguida, repita-os da mesma maneira, e pense que, com essa vocalização, se obtém o que se deseja. Cada vocalização ocupa uma aspiração.

"Em Magia, o domínio pertence àqueles que possuem a soberania do espírito sobre todos os inimigos, que são os defeitos e paixões. A prática das sete virtudes outorga, ao Aspirante, o poder encerrado na Magia do Verbo, e estas virtudes são: Fé, Esperança, Amor, Fortaleza, Temperança, Justiça e Prudência."

HETH (8)

136. A oitava letra é "H", que se pronuncia como o sibilo de tosse suave. É de pronúncia difícil para o ocidental. No alfabeto latino foi representada pelo "H" mudo.

Simboliza o equilíbrio e a justiça em cada coisa, afim de que cada coisa seja própria em si mesma.

A letra "Heth" está associada ao Planeta Saturno, à nota musical RÉ, à cor índigo, ao signo zodiacal Câncer, ao sentido auditivo, à astrologia judiciária, e a tudo o que se relaciona com medidas de tempo.

É o Plasma-Mater, em cujo sono dorme a Vida. É a Consciência Humana, que possui o conhecimento do bem e do mal, a justiça, o equilíbrio, o ato de repartir em proporções iguais.

Em outros termos: o que é verdadeiro na causa, realiza-se em efeito. É, como disse Pitágoras, a harmonia do Universo, a inspiração divina. É o Verbo plasmado no ato. É o primeiro grau da realização, que descobre o mistério da Transmutação.

"Heth" representa a alma que aspira e que respira como o corpo. As almas enfermas têm mau aliento. O res-

piro magnético produz, ao redor da alma, um reflexo de suas obras, que lhe fazem um Céu ou um Inferno.
No Plano Espiritual representa a justiça, a razão pura, a compreensão, e a equidade.
No Plano Mental representa o direito, a conquista da paz, a ventura como fruto da moderação.
No Plano Físico é a Lei do Equilíbrio, a evolução e a involução. Promete temperança, recompensa, gratidão, raciocínio.
Significa:

No Divino, a mulher como função de Deus; a Mãe.
No Humano, a Justiça, reflexo da Realização e da Autoridade.
No Material, Reflexo da Natureza em função de Eva; é a existência elemental, conservação da Natureza Naturada no mundo.

"Heth" tem seu exercício na seguinte forma:
De pé, ereto, respirar e levantar os braços, lentamente, até o nível dos ombros; reter a respiração, juntar as mãos estendidas na frente do rosto, em seguida, estendê--las para trás, rapidamente, e assim, juntá-las e separá-las várias vezes, com a respiração retida, porém sem se cansar; depois, abrir a boca e soprar, de uma só vez o ar, com o som "Hah", como quem quer arrancar algo que estorva a garganta, ou como um suspiro.
Esse exercício cura os males da laringe e da garganta, ajuda no desenvolvimento da clariaudiência.

Em Magia indica o domínio dos obstáculos e a conquista da Vitória. É um trabalho muito simples na vida humana. Para realizá-lo é necessário estabelecer o equilíbrio entre as forças que são postas em movimento. Toda causa produz um efeito. Compreendendo Deus como homem infinito, o homem diz a si mesmo: "Eu sou o homem finito".

O pensamento se realiza em palavra, e a palavra, em ato, em gesto, em sinal, em letra.

A vontade equilibrada tempera e anula os golpes e choques da força contrária.

É prejudicial à saúde ter inimigos; perdoa-lhes e devolva-lhes o bem pelo mal.

Para equilibrar as forças é necessário mantê-las simultaneamente e fazê-las funcionar alternativamente.

TETH (9)

137. "Teth" representa o teto ou a ideia de proteção, lugar seguro etc. Todas as ideias, despertadas por esta letra, derivam da união entre a segurança e a proteção, por intermédio da sabedoria.

Simboliza o princípio da conservação, o amor como ato puro e sem desejos. A letra "Teth" é a sabedoria, o mistério insondável. A pronúncia desta letra se efetua colocando a ponta da língua na raiz dos dentes superiores, para pronunciá-la como se a língua enchesse a boca.

Esta letra está associada ao Planeta Marte, à nota musical SOL, à cor vermelha, à alquimia mental e à faculdade

da clariaudiência. É a expressão da prudência nos impulsos. É o gênio protetor, a Iniciação.
Seu signo Zodiacal é LEÃO.
"Teth" é o princípio vivente em comunhão consigo mesmo.
No Plano Espiritual é a manifestação da Luz Divina nas obras humanas, a sabedoria absoluta, a comunhão do pensador com o pensamento e a coisa pensada.
No Plano Mental gera a prudência, a discrição, a caridade e o conhecimento, o discernimento, o juízo imparcial.
No Plano Físico ajuda o desenvolvimento molecular e o conhecimento do amor universal.
Promete novas descobertas, boa disposição das coisas e bons amigos. Significa: no Divino, a humanidade como função do Espírito Santo, o Amor Humano.
No Humano, a prudência é o calar-se.
No Natural: o fluido astral como força conservadora.
Em Magia é o silêncio e a prudência — armaduras do Sábio. Entretanto, o silêncio não é absoluto; o Sábio deve falar quando é necessário.
O Sábio é dono de si mesmo; por isso, torna-se dono dos demais.
O Super-homem impõe silêncio aos desejos e ao temor, a fim de não escutar senão a voz da razão. Este Super-homem é um Rei sem corda e um Sacerdote sem sotaina; mas o reino e o sacerdócio não são concedidos; deve-se conquistá-los.
O Super-homem trabalha para elevar a sociedade cambaleante e caída; mas, para fabricar ouro, necessita-se de

ouro; por isso, há a necessidade de que se fabrique Super-homens, sábios prudentes e circunspectos, para reconstruir a vida em meio à decomposição e à morte.

I. J. Y. (10)

138. "I" representa o dedo do homem em atitude de dar ordens. É a imagem da manifestação potencial, da duração espiritual e da eternidade dos tempos. É o membro viril do homem. Simboliza o princípio do Verbo plasmado, a ordem é a necessidade de sua existência. Representa a causa de todos os efeitos, a lei de compensação.

"I" está associada aos signos Zodiacais Virgem e Capricórnio, à cor celeste, à nota musical SI, à intuição humana, e à ciência dos números; é a periodicidade infinita. Chama-se roda divina, lei do Karma, causa e efeito, ordem imperecedoura.

É o número 10. É o número de Adão. É o número e as letras do "EU". É a magia sexual; é a serpente ígnea: é o mago.

"I" vibra com sua ressonância, desde os pés até a cabeça.

No Plano Espiritual, representa a Lei de Compensação, a causa e efeito, a alternativa que há entre a sucessão do espiritual e do material.

No Plano Mental, representa a indução e a dedução. É a projeção infinita do pensamento em seus distintos aspectos.

No Plano Físico, representa a ação e a reação, a aplicação do moral ao material.

"I" é um fogo que consome umas coisas e cria outras; é a volição e a ideia, a inteligência que formula e compreende o saber. Promete poder, fortuna, elevação.

Significa:

1. Reflexo da vontade; a necessidade (Karma).
2. Reflexo do poder e da realização; a potência mágica da vontade.
3. Reflexo da alma universal; a força em potência de manifestação.

A letra "I", vocalizada, vibra em todo o corpo, e o homem se comunica pela vibração, e entra em contato com as forças divinas e terrestres. Faz circular o sangue, que rega todo o organismo.

"IE" cura as enfermidades da laringe: fortifica as cordas vocais para manifestar o poder do Verbo.

"IA" cura as enfermidades dos pulmões e da cabeça.

"IO" alivia o coração.

"IU" é um remédio eficaz para o estômago.

Exercício:

Levantar os braços, verticalmente, para formar um "I" enquanto se respira pelo nariz, lentamente. Reter a respiração: vocalizar "I E A O U".

Porém, se se quer fortificar um órgão, como, por exemplo, o coração, especialmente, deve-se vocalizar

IIIII OOOOOO; se é a cabeça: IIIIII AAAAAAA etc. Aconselhamos os leitores a praticar estes ensinamentos, embora sejam de graça. Se quiséssemos explorar esses trabalhos e ensinamentos, teríamos feito fortuna. Damos esses conselhos para eliminar da mente das pessoas a ideia de que a receita que não foi paga com muito dinheiro, não cura o enfermo. Falta-nos ainda falar da letra sagrada "Y".
O exercício da letra "Y" consiste em levantar os braços, como a própria letra indica.
Inspirar, reter e respirar, vocalizando: "YO SOY" (Eu Sou).
Em magia, é necessário praticar os quatro verbos, para aproveitar e adquirir o grande poder; estes quatro verbos são: Saber, Querer, Ousar e Calar, que encerram todos os atributos do íntimo.
Significa:

1. O Poder Equilibrador.
2. A Sabedoria Equilibrada.
3. A Inteligência Ativa.
4. A Misericórdia.
5. O Rigor necessitado pela mesma Sabedoria e pela Bondade.
6. A Beleza como princípio mediador do equilíbrio entre o Criador e a Criação.
7. O Triunfo da Inteligência e da Justiça.
8. A Vitória do Espírito sobre a Matéria.
9. Sentir o Absoluto como base de toda Verdade.
10. A Razão, atributo Supremo e Absoluto do Universo.

K (11)

139. A letra "K" simboliza o princípio dos atos reflexos, o esforço do ânimo em seu trabalho criador. É a expressão da energia e a manifestação do poder. É o conceito da força.

"K" é força operante. Seu Planeta é Marte; seu signo Zodiacal é Aquário; sua cor é o índigo; sua nota musical, RÉ Bemol. Esta letra está associada à predição.

É o princípio pelo qual a persuasão dispõe de maior força do que a compulsão; é a inocência que domina, é a força divina e o poder moral. É ação, trabalho e vitalidade.

No Plano Espiritual, representa o poder da persuasão, poder espiritual, que domina a matéria e o poder de conceder aos demais a faculdade de criar e dominar por meio do conhecimento da verdade.

No Plano Mental, representa a força moral e a força do intelecto.

No Plano Físico, é o domínio ao animal ou às baixas paixões em cada um de nós, pela moralidade e pela conservação da nossa integridade.

"K" promete força para dominar os elementos; decisão, vitalidade e rejuvenescimento.

Significa:

Reflexo da Inteligência: a Liberdade.
Reflexo da Fé: a Coragem (Ousar).
Reflexo da Vida Universal: a Vida passageira.

"K" é o grande agente mágico da luz astral, ou a alma do mundo, que se deve dominar e utilizar. A letra "K" produz entusiasmo e fé. A Fé produz o querer com razão, que é o querer com força, cujo poder é ilimitado.

Exercício:

Colocar o corpo em forma de "K". Ereto sobre o pé esquerdo, erguer a mão direita e o pé direito. Inspirar e reter, como já foi ensinado nas outras letras; vocalizar durante a expiração:

"KA" — produz o desejo de saber e investigar.
"KE" — induz à dignidade e ao comportamento atento.
"KI" — dá alegria e saúde.
"KO" — valor e ousadia.
"KU" — serenidade e prudência.

De passagem, diremos que a palavra "KIT" pronunciada rapidamente, depois de reter a respiração, por várias vezes, faz circular o sangue bruscamente, para enviá-lo, rapidamente, a todos os órgãos do corpo.

Em magia, é a força de adquirir pela Fé, e o domínio das fraquezas do coração. Estudar o dever, que é a regra do direito, e praticar a justiça, por amor a ela, este é o poder da magia real. O que se opera no mundo moral e intelectual, verifica-se, com maior motivo, no físico; por

tal motivo, deve-se eliminar o temor da morte, porque é comum facilmente crer-se naquilo que se teme, ou no que se deseja; pois, que, o temor e o desejo dão à imaginação um poder realizador, cujos efeitos são incalculáveis.
Para adquirir a força que domina o agente astral, deve-se AMAR SEM DESEJAR.

L (12)

140. A letra "L" simboliza o sacrifício voluntário, o movimento expansivo, a consumação das coisas, o altruísmo. É o desdobramento do braço e da asa.
Está associado ao signo Zodiacal Libra, à cor violeta, à nota musical MI. É o princípio pelo qual nos guiamos ao transcendente; é o sacrifício do que somos naquilo que desejamos ser; e o desejo de servir; é a devoção.
Esta letra gera todas as ideias de extensão, e é a imagem do poder que resulta da elevação.
É a lei revelada, que castiga quem a infringe e eleva quem a cumpre.
No Plano Espiritual representa o apostolado, o sacrifício do superior para a dignificação do inferior.
No Plano Mental significa o antagonismo das criações mentais e a circunspecção no decidir, e o que há de penoso no obrar.
No Plano Físico representa a consumação das coisas e o mal-estar material, produzido pelo esforço empregado para obter o predomínio do moral.

Promete audácia, e firma a disciplina à submissão, ao desígnio divino. É o símbolo da personalidade.

Significa:

No Divino, o equilíbrio entre a Necessidade e a Liberdade: a Caridade, a Graça.

No Humano, o equilíbrio entre o Poder e a Coragem: Reflexo da Prudência, a Experiência adquirida (Saber).

No Natural, o equilíbrio entre a Manifestação Potencial e a Vida reflexa. "L" reflete o fluido astral: a força equilibrante em idiomas semitas.

"L" com "A": poder. Em idiomas semitas, seja no princípio da palavra, ou no final, significa Deus, como por Ex.: "ALOHIM" ou "ELOHIM", "ELLOS" ou "BABEL", que significa porta ou cidade de Deus.

Exercício:

Posição: ajoelhado, levantar os braços e as mãos verticalmente, acima da cabeça, e uni-las. Inspirar e vocalizar: AAALLLAAA.

Em magia, o sacrifício é o caminho para o poder. Hermes ensinou a operação da Grande Obra: "Separarás a terra do fogo, o sutil do espesso", isto é, libertar a alma de todo preconceito e de todo vício.

Só pela devoção se pode chegar a identificar-se com os desígnios da Lei Divina.

O Aspirante está sempre exposto à crucificação, à dor

e à morte, mas sempre deve aceitar, com dignidade e resignação, sua dor, e perdoar aos seus mais cruéis inimigos. Quem não perdoa, não será perdoado e, assim, condenado à sociedade. Este poder do perdão outorga a cura dos enfermos e o poder da ressurreição.

M (13)

141. "M" simboliza o princípio de concepção e de plasmação, a imortalidade, a renovação, o renascimento, a transmutação. Também designa a mulher companheira e mãe; significa tudo o que é fecundo e capaz de criar.

"M" é o signo material feminino ou ação passiva. No final dos nomes, designa o coletivo, o plural.

É a letra que corresponde à destruição do criado, isto é, a transformação ou a morte, concebida como o passo de um mundo a outro.

"M" significa a água-mãe de todo o criado, a água primordial. Está associada ao signo zodiacal Virgem, à cor escarlate clara, à nota musical FÁ bemol, ao sentido do paladar. É o princípio pelo qual se transmutam uns elementos em outros, e o homem se prolonga em sua criação.

No Plano Espiritual a letra "M" gera a renovação da vida por meio da transmutação na imortalidade da essência. É a cúpula do Cosmos.

No Plano Mental, representa a ação, a reação e a transformação.

No Plano Físico, gera a letargia, o sonambulismo,

tudo o que altera e o que destrói para renascer. Sua vocalização promete gozos puros e gratos à alma, dá melhoras, proporciona auxílio de amigos, renovação de condições, mudando-as sempre para melhores.
Representa:

1. Deus em aspecto passivo ou feminino: princípio transformador.
2. A morte, no Plano Humano.
3. A luz astral, no Plano Material, como força plástica universal.

Em magia, é a Grande Obra. "M" com "A" gera o passivo e a ternura. Com "E" produz generosidade. Com "I", bondade.

"O" e "U" têm que se antepor a "M".

"AUM", com as notas musicais DO, MI, SOL, é uma invocação poderosa à Trindade. De passagem, devemos explicar que o Mantra: AUM MANI PADME HUM não significa mais do que "Ó Deus meu que está em mim".

A posição do corpo pode ser ajoelhado, com as mãos afastadas do corpo, como as hastes do "M". Em seguida, executa-se o exercício respiratório já ensinado, e vocaliza-se: MMaaammm, MMeeemmm, MMiiimmm, ou a palavra sânscrita "AUM, OM".

Em magia, a morte é considerada como o princípio do nascimento numa outra vida. O Universo reabsorve, sem cessar, tudo o que sai de seu seio, e que não se espiritualizou.

O segundo nascimento consiste na morte dos instintos materiais, por uma vontade livre e pela adesão da alma às Leis Divinas. Quando o segundo homem nascer dentro do primeiro homem, será o começo da verdadeira imortalidade.

O homem que viveu bem (no seu verdadeiro sentido) na terra, seu cadáver astral se evapora como a nuvem de incenso puro, elevando-se às regiões superiores. Porém, se o homem viveu no crime e nas baixas paixões e não quis morrer na vida, seu cadáver astral o retém prisioneiro, continua buscando os objetos de suas paixões para viver a mesma vida, e consumindo-se em esforços dolorosos, para construir órgãos materiais vivos na carne; nessas circunstâncias, os antigos vícios lhe aparecem sob monstruosas figuras, que o atacam e a devoram... O infeliz perde, assim, sucessivamente, todos os membros que serviram para a prática de suas iniquidades, por meio daquele fogo astral, e dessa maneira sofre a segunda morte.

A vocalização da letra "M" produz certas vibrações que cortam o fio prateado do cadáver astral.

6. Esclarecimentos

142. O homem está rodeado de envolturas cósmicas, compostas de vibrações, desde as mais lentas e densas até as mais sutis. Com a *aspiração*, a *respiração retida* e a *concentração*, pode o homem conseguir que sua mente desenvolva e aumente a longitude de sua onda, até chegar a viver e sintonizar-se com a envoltura mais elevada e sutil do "EU SOU". A onda mental do médium nunca pode passar além do mundo astral, cujas vibrações se assemelham em densidade à matéria física.

143. Com a *aspiração* intensa de unir-se ao "EU SOU", e de obedecer às suas ordens, com a *inalação do alento da vida e sua retenção e com a concentração* poderosa e consciente, chega o homem a seu sistema simpático, onde aprende todos os mistérios da natureza, descobre seus símbolos, e dessa maneira se põe em contato com a esfera cósmica desejada. Os símbolos representam as energias ou correntes de forças descobertas pelos magos do passado.

Decifrar um símbolo é descobrir uma civilização e uma ciência do passado, hoje desaparecidas, e comunicar-se com a inteligência atômica daquelas idades.

144. "Os artistas e os iniciados chegam, às vezes, a decifrar esses símbolos, e convertem-se em criadores para a época em que vivem. Os símbolos estão escritos em linguagem cósmica, esquecida pela mente consciente do homem, mas continuam sendo, no mundo mental, a única linguagem da inspiração e do sentimento, compreendida pela mente cósmica do ser."

145. A linguagem cósmica mais rica é a possuída pela Maçonaria. Os símbolos contêm todas as chaves do mundo interno superior, mas, até o momento, ninguém conseguiu ler esta linguagem, e se alguém chegou a lê-la não a pôde entender. Ler o símbolo significa concentrar-se nele, formular uma mensagem e entregá-la ao próprio guardião. Se a mensagem é aceita, virá a resposta em forma também simbólica. A cruz, por exemplo, é o símbolo da perfeição, e não da morte. A crucificação significa o domínio completo e o triunfo total sobre a *besta* (outro símbolo de São João), a natureza inferior. Este é o ensinamento da Igreja Gnóstica.

146. Os símbolos da Maçonaria existiram em todas as idades, em todas as religiões, em todos os templos. Estes símbolos são a imagem de nossos pensamentos, e são como pontes que os conduzem do exterior para o interior. Também os símbolos representam e evocam o mal e as desgraças. Devem-se evitar os símbolos mágicos malignos, para não sermos arrastados às regiões inferiores.

147. De momento, podemos dizer que todas as letras do alfabeto de todos os idiomas são símbolos de uma linguagem elevada e sacra. Também o são os números. Com a aspiração, a inalação retida e a concentração, pode-se ler e saber o significado de cada letra no sistema simpático. A seu devido tempo, o Aspirante será ajudado por seu Mestre Interno para decifrar as letras. Milhares de livros foram escritos sobre a Cabala; mas, até hoje, ninguém disse nada, e ninguém pode compreender nada da simbologia das letras. Tudo o que se pode dizer, de momento, é que as letras são símbolos remotos e pré-históricos dos povos.

148. Existe um símbolo de benção, traçado com a mão direita, que produz uma atmosfera de paz, de felicidade e de bem-estar na pessoa, direta ou indiretamente; mas, traçado com a mão esquerda, ao contrário, provoca um ambiente nefasto e de ódio. Os magos aproveitadores empregam este último para provocar a discórdia e as guerras.

149. Também ainda será descoberto, bem cedo, o símbolo da Energia Criadora, que rejuvenesce e prolonga a vida; mas não será dado senão àqueles que já manipulam o sistema simpático.

7. Os deveres do companheiro

150. As práticas ocultas nada têm de simples. Todavia, se o homem se dedicar com paciência, nada mais do que uma hora por dia, ele se converterá num verdadeiro gênio, depois de poucos anos.

151. Antes de tudo, o discípulo deve ter uma saúde, por assim dizer, perfeita. O corpo é um acumulador de energias. A enfermidade é como uma ruptura ou válvula de escape. Nenhum enfermo pode ser um discípulo ou praticante maçom, no *sentido completo da palavra*.

152. Em continuação, daremos certas regras para obter e conservar a saúde e a harmonia do corpo. Em trabalhos futuros dedicaremos um espaço mais extenso para a "Medicina Psíquica". No momento, as regras mais urgentes para a saúde são as seguintes:

Aprender a manter a coluna vertebral sempre ereta. Quando parado e de pé, conservar-se sempre em equilíbrio sobre as planta dos pés.
Tratar de sentir sempre que está diante do Mestre, e que não deve pensar e nem falar mal de ninguém.

As saúdes mental e física têm que seguir paralelas. Devem-se praticar os exercícios respiratórios lentamente e retidos, tal como foi explicado anteriormente, e tal como se explicará depois, para expulsar dos pulmões e do sangue os átomos destrutivos. Devem ser praticados também certos exercícios físicos, juntamente com os respiratórios, para conservar a flexibilidade da coluna vertebral.

Banhar-se frequentemente com água nem muito quente e nem muito fria.

Acostumar o corpo aos raios solares, exceto a cabeça, a qual deve estar na sombra ou envolta em uma toalha umedecida.

Durante os exercícios respiratórios e físicos, a mente tem que estar tranquila e livre de qualquer ansiedade e pessimismo, para que não absorva átomos da mesma índole.

153. O funcionamento dos intestinos tem que ser perfeito. A prisão de ventre é a causa de todas as enfermidades. Este defeito corrige-se com o hábito de tomar muitos goles d'água ao dia, em intervalos de 15 ou 20 minutos de um gole ao outro. Mastigar bem os alimentos, praticar exercícios físicos, comer muita fruta são também recomendações necessárias.

É permitido comer e beber de tudo, empregando sempre o senso comum: usar e não abusar. Quando se chega ao desenvolvimento interno, o EU Superior guiará, intuitivamente, os desejos de pedir para o corpo somente a bebida e a comida que lhe fizerem falta. O homem deve governar seu alimento, e não entregar-se ao apetite excitado e desenfreado.

154. Há três classes de homens: Físico, Mental e Espiritual. O rosto e a formação da cabeça o indicam claramente.

O Aspirante tem que desenvolver muitos centros que estão dentro do corpo, e que, aparentemente, estão atrofiados por falta de uso. O desenvolvimento consiste na aspiração, respiração e concentração.

A saúde mental e a tranquilidade da consciência são muito necessárias para a aquisição da saúde física.

155. O sexo é o grande problema para o tipo espiritual. Em muitas ocasiões, é acurralado por pensamentos e desejos de natureza sexual. Também, neste sentido, tem que usar o senso comum. Portanto, o sexo é como uma criança que se pode enganar facilmente. As práticas seguintes podem ajudar o estudante:

Fixar os olhos em uma flor branca; fechar os olhos, e contemplar as cores que se apresentam diante dos olhos fechados. Apertar fortemente o esfíncter anal, inspirar lentamente pelo nariz, até encher os pulmões; reter a respiração e pensar que a energia passa pela medula espinhal até o coração, e se sentirá, então, o calor que se eleva desde o baixo-ventre e ascende até o coração.

Com essas indicações, pode-se dominar o sexo com prudência.

156. Deve-se tomar, diariamente, dois litros de água, no intervalo das refeições principais, para livrar-se das impurezas intestinais e resíduos internos.

É necessário limpar as fossas nasais, inalando água morna, o que evita o catarro e fortalece seus tecidos e membranas.

É necessário tomar um pouco de água antes dos exercícios. Os átomos positivos aspirados comunicam-se mais facilmente quando o estômago está limpo e contém água.

Abençoar ou magnetizar a água, antes de tomá-la, aumenta seu poder curativo e converte-a em ímã que atrai os átomos puros e construtivos.

157. De início, deve-se tratar de aspirar e respirar átomos solares positivos; somente pela fossa nasal direita. Se verificar que é a fossa nasal esquerda a que está funcionando, basta deitar-se sobre o lado esquerdo, durante alguns minutos, e a fossa nasal direita se abrirá.

Se estiver de pé, basta colocar, debaixo da axila esquerda, um tubo ou um rolo de papel, e o conduto direito se abrirá. Também, apertar a barriga da perna esquerda produzirá o mesmo efeito.

158. Cada tipo tem que buscar o alimento e a vida mais adequados para o seu temperamento. O tipo físico, caracterizado pela largura e robustez de suas mandíbulas, tem que cuidar do seu estômago, fígado e intestinos; o tipo mental, de seus pulmões; e o espiritual deve fortalecer seus órgãos sexuais com respirações profundas e banhos genitais com água fresca.

Dormir sobre o lado esquerdo abre a fossa nasal direita, por meio da qual o corpo se enche com a energia solar positiva, o que faz funcionar melhor o aparelho digestivo (ver *As chaves do reino interno*).

159. O primeiro exercício consiste em sentar-se em posição ereta e entrelaçar as mãos, com os polegares cruzados. Assim não penetrará nenhum átomo obsedante ou destrutivo.

Neste estado, deve-se formular o desejo e aspirar a obtê-lo, com muita decisão e certeza; em seguida, inspirar lentamente até encher os pulmões; reter a respiração o máximo que puder, sem chegar à fadiga e, ao expirar, dirigir o pensamento ao centro que se deseja fortalecer, para que manifeste suas qualidades e poder. A mente deve sempre conservar-se alerta e pura.

Repita-se o exercício umas sete vezes, concentrando-se no campo magnético que se deseja despertar. Logo ao terminar, enviar, com agradecimento, os átomos aspirados ao Átomo Nous, no coração, que sempre responde com alguma manifestação interna sentimental.

Praticando este exercício várias vezes ao dia, três pelo menos, depois de um mês, ou antes, você começará a sentir o efeito seguinte: Uma sensação de calor no centro já mencionado; a partir daí, você poderá obter as instruções claras do Mundo Íntimo do "EU SOU".

160. O homem que mantém sempre sua aspiração para um ideal infalivelmente o obterá. Porque, com a aspiração constante, Nous reúne e distribui os átomos aspirados na corrente sanguínea, os quais nos põem em contato com a fonte da saúde e do equilíbrio. O pensamento é o homem. Tal como pensa o homem em seu coração, assim ele é. Aspirar, inspirar e pensar conduzem o Aspirante à presença do seu próprio Mestre Interno, que o guia, ensina e descobre todos os mistérios escritos em seu sistema nervoso, em forma intuitiva e sentimental, isto é, são sentidos mentalmente.

161. Aspirar, inspirar e concentrar, para elevar a energia procriadora às regiões superiores do corpo, aumenta a energia física e mental do homem, e, com o exercício, se formará ao seu redor o "Ovo Áurico", que é uma espécie de energia luminosa, essência pura da nossa energia sexual; é como a luz do fogo sem fumo. Esta luz, branca e diáfana, é o Templo do Mestre da mente, e é como um transmissor da vontade do "EU SOU".

Como foi explicado em *As chaves do reino interno* e em *Rasgando véus ou a desvelação do Apocalipse*, o homem tem sete centros magnéticos em seu corpo, e cada centro é um grau na Universidade Interna. Uma vez desenvolvidos estes centros, ou desselados, segundo a expressão do Apocalipse, o Aspirante conhecerá as vidas passadas e suas consequências nas futuras.

162. O despertar ou a atualização desses centros demonstrará a evolução do homem, desde o mais inferior até o estado atual, e ele se enfrentará, então, com suas duas naturezas ou polaridades: o Bem e o Mal, ou o positivo e o negativo. Quem puder abrir seus centros magnéticos, governará os elementos da natureza e as influências dos planetas. Quando chegarmos a este estado, não encontraremos o mal em coisa alguma e em ninguém, porque já não o teremos em nós próprios. Seremos atraentes, curadores com a palavra e os gestos. Até a morte nos será tão familiar como qualquer outra circunstância da vida.

163. O discípulo que quer dedicar-se à vida superior, encontrará a sabedoria em todos os feitos da natureza. Seu caráter tem que estar acima de toda mácula ou suspeita. Tem que ser forte e domador das feras internas, se não quiser ser arrastado ao mundo inferior.

Todo estudante fiel e sincero, isento de presunção e vanglória, cedo ou tarde se encontrará com seu Eu Superior, que o guiará à Divina Presença: o Mestre Condutor ou Arquiteto, que se encontra em alguma parte do corpo... É Ele quem prepara o discípulo, com o fogo sacro, para o batismo do fogo, o qual ascenderá do sistema seminal ao Ovo Áurico e do Ovo Áurico ao Mundo Mental, formando, assim, o perfeito Corpo Mental.

164. Este fogo sagrado é a meta de todo discípulo; é a divina herança da qual, em tempos passados, não soube aproveitar os benefícios. O discípulo tem que procurar levar átomos puros ao Átomo Nous, que os dirigirá em seu trabalho para a construção do Templo. Nous é o Mestre Maçom (construtor) do corpo.

165. O corpo físico é o Templo do Mago; é seu apoio, por meio do qual pode dominar anjos e demônios. É necessário conservá-lo puro e são e, em seguida, conhecê-lo, poder utilizá-lo de acordo com as Leis Supremas e Divinas que se manifestam nele e por Ele.

166. No homem há duas forças inteligentes, que representam sua natureza superior e inferior. Essas duas forças, ou duas naturezas, têm tido muitos sobrenomes segundo as religiões e idades; foram chamadas Anjo e Demônio, Anjo Custódio e Terror do Umbral, Miguel e Satanás etc. Nós preferimos chamá-las Eu Superior e Eu Inferior.

167. O Eu Superior é a reunião de tudo o que é bom, que está e que é o homem. Ele é o custódio, o guardião e o intercessor; é quem vigia nosso desenvolvimento em nossos centros-graus. O Eu Superior é a Entidade Luz, é o Anjo do Esplendor, é Adonai, cuja presença é terrível, devido ao brilho que emana de Si Mesmo.

168. O Eu Inferior é o Morador, Espectro ou Terror do Umbral; é nosso anjo tenebroso que tem belezas e radiação de ordens malignas. Com facilidade podemos sentir sua presença em nós.

169. Com o desenvolvimento e a prática, o discípulo sentirá a presença das duas forças em si, e é por esse motivo que vemos cada homem ter dupla natureza, ou melhor, ter dupla atitude e procedimento na vida.

170. O Eu Superior e o Eu Inferior são nossas próprias criações. Durante nossas vidas passadas temos criado duas formas mentais antagônicas: a superior é a reunião de tudo o que é mais elevado e luminoso de nossas aspirações, pensamentos e obras; a inferior é a aglomeração de todas as nossas más paixões, desejos e atos.

171. Quando o discípulo chega ao desenvolvimento interior, começa a ver claro e poderá ensinar aos homens a ver em seu interior. Não será profeta, nem adivinho, tal como significam, hoje, essas palavras na mente dos homens, mas será como o verdadeiro médico que prevê os resultados distantes das ações atuais, e não atribui o castigo, pelo abuso, ao demônio, assim como a recompensa a um Deus. Toda falta é um erro, e todo erro traz consigo sua dor; assim, também, todo domínio e toda virtude acarretam prazer e felicidade.

Os erros produzem dores e desgraças, que aderem ao corpo na forma de uma entidade inteligente, chamada Eu Inferior. Também a aspiração ao elevado, ao justo e à sabedoria, cria no homem a outra entidade, chamada Eu Superior.

172. Os dois "EUS", que são nossas criaturas, possuem os conhecimentos das idades, porém, nenhum tem a verdadeira sabedoria. A Verdade é e vem do "EU SOU". O Eu Superior é o Céu, o Inferior é o Inferno: "EU SOU" é a Lei, na qual não cabe nem Céu e nem Inferno; é a Verdade, na qual não cabe nada de bom nem de mau. Por isso se tem dito que se deve flutuar sobre o bem e sobre o mal, para sentir a união com o "EU SOU".

173. O Eu Superior ensina-nos como separar o verdadeiro do falso; ajuda-nos a queimar os átomos grosseiros por meio do fogo interno e, dessa maneira, tirar os poderes do inimigo interno. Isso tem que ocorrer dentro do corpo. Como pode ocorrer isso? — Por meio da aspiração, da inspiração e da concentração.

174. Já foi dito que *aspirar é atrair ao corpo o objeto desejado; inspirar e reter é colocar-se em contato com ele, e concentrar é conhecer as coisas e identificar-se com elas.*
Quando o discípulo se une à inteligência das coisas, esta se repete enquanto sustentamos a concentração. O pensamento forma ao redor da coisa uma espécie de muralha que a isola de todas as demais influências alheias. A concentração é uma espécie de pergunta, dirigida à inteligência solar, que se encontra em toda substância e que responde, na maioria das vezes, quando a concentração é perfeita.

175. O Eu Interno de todo ser responde a toda concentração; isso significa o que é a oração pelos mortos e pelos vivos; porque, quando pensamos em um amigo ou inimigo, e lhe enviamos nosso amor ou nosso ódio, unimos nossa própria atmosfera à dele, e seu Eu Interior responde conforme nossos pensamentos afetam sua atmosfera mental. Isso significa que aquilo que desejamos aos outros nos será devolvido em dobro.

176. Esse mesmo processo é aplicável internamente, e recebemos a resposta da mesma maneira.

Por isso devemos estudar, primeiramente, as leis de nossos centros internos ou graus de sabedoria. Deve-se ter pureza na aspiração e no pensamento, para poder receber e encontrar o que buscamos. O objetivo destas linhas é estudar as leis internas, para depois nos desenvolvermos com a prática metódica e constante.

Cada Aspirante deve descobrir por si mesmo um dos três grandes segredos que mais se adaptam a seu temperamento, para unir-se ao "EU SOU".

8. Os deveres do companheiro para com os demais

177. O Companheiro tem que cumprir muitos deveres, o que exige seu grau operativo, para que se transforme num obreiro do Progresso, da Liberdade, da Igualdade e da Fraternidade.
O Maçom deve estudar e praticar.
Companheiro deve fazer de seu trabalho construtivo um Ideal. As obras do Maçom o libertam de sua escravidão e o convertem em Rei e Sacerdote do mais elevado Ideal, que é o de servir aos demais e ser cooperador de Deus.
O Companheiro deve viver para trabalhar.
O Trabalho deve ser a prática do Sermão da Montanha. Nos capítulos 5, 6 e 7 do Evangelho de São Mateus está a Senda do APRENDIZ, COMPANHEIRO E MESTRE.

CAPÍTULO 5: O SERMÃO DO MONTE
AS BEM-AVENTURANÇAS

1. Vendo Jesus as multidões, subiu ao monte. Ao sentar-se, aproximaram-se dele seus discípulos.

2. E ele passou a ensiná-los dizendo:
3. Bem-aventurados os pobres de espírito porque deles é o reino dos céus.
4. Bem-aventurados os mansos, porque herdarão a terra.
5. Bem-aventurados os que choram, porque eles serão consolados.
6. Bem-aventurados os que têm fome e sede de justiça, porque serão fartos.
7. Bem-aventurados os misericordiosos, porque alcançarão misericórdia.
8. Bem-aventurados os limpos de coração, porque eles verão a Deus.
9. Bem-aventurados os pacificadores, porque eles serão chamados filhos de Deus.
10. Bem-aventurados os perseguidos por causa da justiça, porque deles é o reino dos céus.
11. Bem-aventurados sois quando, por minha causa, vos injuriarem, e vos perseguirem e, mentindo, disserem todo mal contra vós.
12. Regozijai-vos e exultai, porque é grande o vosso galardão nos céus; pois assim perseguiram os profetas que existiram antes de vós.
13. Vós sois o sal da terra; se o sal se tornar insípido, como lhe restaurar o sabor? Para nada mais presta senão para ser lançado fora e pisado pelos homens.
14. Vós sois a luz do mundo. Não se pode esconder uma cidade edificada sobre um monte.

15. Nem se acende uma candeia para colocá-la debaixo do alqueire, mas no velador, e alumia a todos os que se encontram na casa.
16. Assim brilhe também a vossa luz diante dos homens, para que vejam as vossas boas obras e glorifiquem o vosso Pai que está nos céus.
17. Não penseis que vim revogar a lei ou os profetas; não vim para revogar, vim para cumprir.
18. Porque em verdade vos digo: até que o céu e a terra passem, nem um I ou um til jamais passará da lei, até que tudo se cumpra.
19. Aquele, pois, que violar um destes mandamentos, posto que dos menores, e assim ensinar aos homens, será considerado mínimo no reino dos céus; aquele, porém, que os observar e ensinar, esse será considerado grande no reino dos céus.
20. Porque vos digo que, se a vossa justiça não exceder em muito a dos escribas e fariseus, jamais entrareis no reino dos céus.
21. Ouvistes que foi dito aos antigos: *Não matarás; e quem matar estará sujeito a julgamento.*
22. Eu, porém, vos digo que todo aquele que, sem motivo, se irar contra seu irmão estará sujeito a julgamento; e quem proferir um insulto a seu irmão estará sujeito ao julgamento do tribunal; e quem lhe chamar: *Tolo*, estará sujeito ao inferno de fogo.
23. Se, pois, ao trazeres ao altar a tua oferta, ali te lembrares que teu irmão tem alguma coisa contra ti,
24. Deixa a tua oferta ali diante do altar e vai primeiro

reconciliar-te com o teu irmão; e depois virás apresentar a tua oferta.

25. Entra em acordo sem demora com teu adversário, enquanto estás com ele a caminho; para que o adversário não te entregue ao juiz, o juiz, ao oficial de justiça, e sejas recolhido à prisão.

26. Em verdade te digo que não sairás dali, enquanto não pagares o último centavo.

27. Ouvistes que foi dito: *Não adulterarás*.

28. Eu, porém, vos digo: todo aquele que olhe para uma mulher com desejo libidinoso, já cometeu com ela adultério em seu coração.

29. Se o teu olho direito te faz tropeçar, arranca-o e lança-o de ti; pois te convém que se perca um dos teus membros, e não seja todo o teu corpo lançado no inferno.

30. E, se tua mão direita te faz tropeçar, corta-a e lança-a de ti; pois te convém que se perca um dos teus membros, e não vá todo o teu corpo para o inferno.

31. Também foi dito: aquele que repudiar sua mulher, dê-lhe carta de divórcio.

32. Eu, porém, vos digo: que todo aquele que repudiar sua mulher, a não ser por motivo de fornicação, faz com que ela adultere, e aquele que se casa com a repudiada comete adultério.

33. Também ouvistes o que foi dito aos antigos: *Não perjurarás, mas cumprirás os teus juramentos para com o Senhor*.

34. Eu, porém, vos digo: de modo algum jureis; nem pelo céu, por ser o trono de Deus.
35. Nem pela terra, por ser estrado de seus pés; nem por Jerusalém, por ser cidade do grande Rei.
36. Nem jureis pela tua cabeça, porque não podes tornar um cabelo branco ou preto.
37. Seja, porém, a tua palavra: *Sim, sim; não, não*. O que disso passar vem do maligno.
38. Ouvistes o que foi dito: *Olho por olho, dente por dente*.
39. Eu, porém, vos digo: não resistais ao perverso; mas, a qualquer que te ferir na face direita, volta-lhe também a outra.
40. E, ao que quer demandar contigo e tirar-te a túnica, deixa-lhe também a capa.
41. Se alguém te obrigar a andar uma milha, vai com ele duas.
42. Dá a quem te pede e não voltes as costas ao que deseja que lhe emprestes.
43. Ouvistes o que foi dito: *Amarás ao teu próximo e odiarás o teu inimigo*.
44. Eu, porém, vos digo: *Amai os vossos inimigos e orai pelos que vos perseguem*.
45. Para que vos torneis filhos do vosso Pai que está nos céus, porque ele faz nascer o seu sol sobre maus e bons e vir chuvas sobre justos e injustos.
46. Porque, se amardes aos que vos amam, que recompensa tendes? Não fazem os publicanos também o mesmo?

47. E, se saudardes somente aos vossos irmãos, que fazeis de mais? Não fazem os gentios também o mesmo?
48. Portanto, sede vós perfeitos como perfeito é o vosso Pai celeste.

CAPÍTULO 6: AS ESMOLAS, ORAÇÃO E JEJUM

1. Guardai-vos de exercer a vossa justiça diante dos homens, para serdes vistos por eles. Se o fizerdes, não recebereis a recompensa do vosso Pai que está nos céus.
2. Quando, pois, deres esmola, não toques trombeta diante de ti, como o fazem os hipócritas, nas sinagogas e nas ruas, para serem glorificados pelos homens. Em verdade vos digo que eles já receberam a recompensa.
3. Tu, porém, ao dares a esmola, ignore a tua mão esquerda o que faz tua mão direita.
4. Para que a tua esmola fique em secreto; e teu Pai, que vê em secreto, te recompensará.
5. E, quando orardes, não sereis como os hipócritas; porque gostam de orar em pé nas sinagogas e nas esquinas, para serem vistos pelos homens; em verdade vos digo que eles já receberam a recompensa.
6. Tu, porém, quando orardes, entrai no teu quarto e, fechada a porta, orarás a teu Pai, que está em secreto; e teu Pai, que vê em secreto, te recompensará.
7. E, orando, não useis de vãs repetições, como os

gentios; porque presumem que pelo seu muito falar serão ouvidos.
8. Não sejais, pois, como eles, porque o vosso Pai sabe do que tendes necessidade, antes que lho peçais.
9. Portanto, orai desta maneira: Pai nosso, que estás nos céus, santificado seja o teu nome;
10. Venha o teu reino; seja feita a tua vontade, assim na terra como no céu;
11. o pão nosso de cada dia dá-nos hoje;
12. e perdoa-nos as nossas dívidas, assim como nós temos perdoado aos nossos devedores;
13. e não nos deixes cair em tentação; mas livra-nos do mal.
14. Porque, se perdoardes aos homens as suas ofensas, também vosso Pai celeste vos perdoará;
15. se, porém, não perdoardes aos homens, tampouco vosso Pai vos perdoará as vossas ofensas.
16. Quando jejuardes, não tomeis um ar sombrio como fazem os hipócritas, pois eles desfiguram o rosto para que seu jejum seja percebido pelos homens. Em verdade vos digo que eles já receberam a recompensa.
17. Tu, porém, quando jejuares, unge a cabeça e lava o rosto,
18. para que os homens não percebam que estás jejuando, mas apenas o teu Pai, que está presente em segredo; e o teu Pai, que vê o que está oculto, te recompensará.
19. Não acumuleis para vós outros tesouros sobre a

terra, onde a traça e a ferrugem os corroem e onde ladrões escavam e roubam;
20. mas ajuntai para vós outros tesouros no céu, onde traça nem ferrugem corrói, e onde ladrões não escavam, nem roubam.
21. Porque onde está o teu tesouro, aí estará também o teu coração.
22. São os olhos a lâmpada do corpo. Portanto, se o teu olho estiver são, todo o teu corpo ficará iluminado;
23. mas se o teu olho estiver doente, todo o teu corpo ficará escuro. Pois se a luz que há em ti são trevas, quão grandes serão as trevas.
24. Ninguém pode servir a dois senhores; porque ou há de aborrecer-se de um e amar ao outro, ou se devotará a um e desprezará ao outro. Não podeis servir a Deus e às riquezas.
25. Por isso, vos digo: não andeis ansiosos pela vossa vida, quanto ao que haveis de comer ou beber; nem pelo vosso corpo, quanto ao que haveis de vestir. Não é a vida mais do que o alimento, e o corpo, mais que as vestes?
26. Observai as aves do céu que não semeiam, nem colhem, nem ajuntam em celeiros; contudo, vosso Pai celeste as sustenta. Portanto, não valeis vós muito mais do que as aves?
27. Qual de vós, por mais ansioso que esteja, pode acrescentar um côvado ao curso da sua vida?
28. E por que andais ansiosos quanto ao vestuário?

Considerai como crescem os lírios do campo; eles não trabalham nem fiam.
29. Eu, contudo, vos afirmo que nem Salomão, em toda a sua glória, se vestiu como um deles.
30. Ora, se Deus, pois, veste assim a erva do campo, que hoje existe e amanhã é lançada no forno, quanto mais a vós outros, homens de pouca fé?
31. Portanto, não vos inquietais dizendo: Que comeremos? Que beberemos? Ou: Com que nos vestiremos?
32. (Porque os gentios é que procuram todas estas coisas); pois vosso Pai celeste sabe que necessitais de todas elas.
33. Buscai, pois, em primeiro lugar, o reino de Deus e a sua justiça, e todas essas coisas vos serão acrescentadas.
34. Não vos preocupeis, portanto, com o dia de amanhã, pois o dia de amanhã se preocupará consigo mesmo; basta ao dia o seu próprio mal.

CAPÍTULO 7: OS JUÍZOS TEMERÁRIOS

1. Não julgueis, para que não sejais julgados.
2. Pois, com o critério com que julgardes, sereis julgados; e, com a medida com que tiverdes medido, vos medirão também.
3. Por que vês o argueiro no olho de teu irmão, porém não reparas na trave que tens no teu próprio?
4. Ou como dirás a teu irmão — "Deixa-me tirar o argueiro do teu olho", quando tens a trave no teu?

5. Hipócrita, tira primeiro a trave do teu olho e, então, verás claramente para tirar o argueiro do olho do teu irmão.
6. Não deis aos cães o que é santo, nem lanceis antes os porcos as vossas pérolas, para que não as pisem com os pés e, voltando-se, vos dilacerem.
7. Pedi, e dar-se-vos-á; buscai e achareis; batei, e abrir-se-vos-á.
8. Pois todo o que pede recebe; o que busca, encontra; e, a quem bate, abrir-se-lhe-á.
9. Quem dentre vós dará uma pedra a seu filho, se este lhe pedir pão?
10. Ou lhe dará uma cobra, se este lhe pedir peixe?
11. Ora, se vós, que sois maus, sabeis dar boas dádivas aos vossos filhos, quanto mais vosso Pai, que está nos céus, dará boas coisas aos que lhe pedirem.
12. Tudo aquilo, portanto, que quereis que os homens vos façam, fazei-o vós a eles, porque esta é a lei e os profetas.
13. Entrai pela porta estreita, porque larga é a porta, e espaçoso é o caminho que conduz à perdição, e são muitos os que entram por ela.
14. Porque estreita é a porta e apertado é o caminho que conduz à vida, e são poucos os que acertam com ela.
15. Guardai-vos dos falsos profetas, que vêm a vós disfarçados de ovelhas, mas por dentro são lobos ferozes.
16. Pelos seus frutos os conhecereis. Colhem-se, porventura, uvas dos espinheiros ou figos dos abrolhos?

17. Assim, toda árvore boa dá bons frutos, porém a árvore má dá frutos ruins.
18. Uma árvore boa não pode dar frutos ruins, nem uma árvore má dar bons frutos.
19. Toda árvore que não produz bons frutos é cortada e lançada ao fogo.
20. É pelos frutos, portanto, que os reconhecereis.
21. Nem todo aquele que me diz: "Senhor! Senhor!" entrará no reino dos céus, mas aquele que faz a vontade de meu Pai, que está nos céus.
22. Muitos me dirão naquele dia: "Senhor! Senhor! Não foi em teu nome que profetizamos e em teu nome que expulsamos demônios e em teu nome que fizemos muitos milagres?".
23. Então, sem rodeios, eu lhes direi: Nunca vos conheci. Apartai-vos de mim, vós que praticais a iniquidade.
24. Todo aquele, pois, que ouve estas minhas palavras e as pratica será comparado a um homem prudente que edificou a sua casa sobre a rocha.
25. Caiu a chuva, transbordaram os rios, sopraram os ventos e deram com ímpeto contra aquela casa, mas ela não caiu, porque estava edificada sobre a rocha.
26. E todo aquele que ouve estas minhas palavras, mas não as pratica, será comparado a um homem insensato que edificou a sua casa sobre a areia.
27. E caiu a chuva, transbordaram os rios, sopraram os ventos e deram com ímpeto contra aquela casa, e ela desabou, sendo grande a sua ruína.

28. Quando Jesus terminou de proferir estas palavras, estavam as multidões maravilhadas de sua doutrina.
29. Porque ele as ensinava como quem tem autoridade e não como os escribas.

CONCLUSÃO

Se o amado Companheiro deseja seguir acompanhando-nos, o levaremos até o "Terceiro Grau de Mestre Maçom".

Bibliografia

Dicionário Maçônico

MAGISTER............................ *Manual Del Compañero.*
ADOUM, Jorge..................... *As Chaves do Reino Interno.*
ADOUM, Jorge..................... *Rasgando Velos.*
ADOUM, Jorge..................... *La Magia Del Verbo.*
M... *Dioses Atômicos.*
BESANT, Annie.................. *El Poder Del Pensamiento.*
UN ROSA CRUZ.................. *La Masoneira.*
IGESIAS, J........................... *La Arca de Los Números*
BLAVATSKY, H. P.............. *La Doctrina Secreta.*
BLAVATSKY, H. P.............. *Isis sin Velo.*